Elektra Papadakis

Taschenbücherei · Texte & Materialien 8a

Herausgegeben von
Klaus-Ulrich Pech und Rainer Siegle

Lutz Hübner

Das Herz eines Boxers

Ein Jugendtheaterstück

mit Materialien,
zusammengestellt von Henning Fangauf

Ernst Klett Verlag
Stuttgart · Leipzig

Im Internet unter **www.klett.de/online** finden Sie zu dem Titel ***Das Herz eines Boxers*** u. a. einen Lektürekommentar, der methodisch-didaktische Hilfen und Anregungen enthält: Stundenplanungen, Lernzielvorschläge, Projektanregungen. Geben Sie dort in das Feld **»Online-Link«** folgende Nummer ein: **262734-0000**

Lizenzausgabe mit freundlicher Genehmigung des © Hartmann & Stauffacher Verlags, Köln 1996.

Der Text wurde behutsam der reformierten Rechtschreibung angepasst.

1. Auflage 1 16 15 14 | 2023 22 21

Alle Drucke dieser Auflage sind unverändert und können im Unterricht nebeneinander verwendet werden. Die letzte Zahl bezeichnet das Jahr des Druckes.

Redaktion: Veronika Roller / Manuela Martinson
Herstellung: Dea Hädicke
Umschlaggestaltung und Layout: Sandra Schneider
Umschlagfoto: Inszenierungsfoto mit Matthias Hermann als Jojo und Werner Koller als Leo, Stuttgart 2007.

Satz: Köhler & Köhler, Taucha
Reproduktion: Meyle + Müller, Medien-Management, Pforzheim
Druck: Plump Druck & Medien GmbH, Rheinbreitbach

Printed in Germany

ISBN 978-3-12-262734-8

9 783122 627348

Äußere Erscheinung
Äußere Verhalten
soziale Situation
Auffälligkeiten

Raum

Zimmer in einem Altersheim, ungemütlich, klein.
Ein Tisch, Sessel, ein Fenster zum Park. Viele Kartons, keine Bilder an der Wand.

Darsteller

Jojo Ein Jugendlicher, etwa sechzehn Jahre

Leo Ein Mann Ende sechzig, Bewohner des Zimmers

Leo:

aber aufmerksam

- misstrauisch am Anfang, unhöflich, bis er Jojos Geschichte gehört hat.
  ironisch, sarkastisch, respektvolles/sanft Sprache
  kann Jojo trauen
- starke Meinung (Gottessport)
  Obwohl Boxen ein aggressiver Sportart ist, ist Leo ruhig und friedlos
- kann aber wenn er will, jemanden schwer verletzen.

Jojo:

16 Jahre alt
ironisch, starke Meinung
respektlos für Leo (am Anfang)
hat die Strafe für einen Freund aufgenommen
- er hat einen Mofa geklaut.
zuverlässig, man kann ihm trauen
denkt nicht über seiner Aktionen → irrational
will Boxer werden → naiv

1. Szene

Leo kommt herein, auf einem Tisch liegen ein frisches Handtuch und eine kleine Schale mit Tabletten.
Leo hängt sich das Handtuch um, schüttet sich die Tabletten in die Hand, geht zum Fenster, öffnet es, sieht sich um, dann schmeißt er die Tabletten in hohem Bogen nach draußen, er schließt das Fenster.
Er markiert ein paar Boxschläge, ein Geräusch ist von draußen zu hören. Leo setzt sich schnell in den Sessel, zieht sich eine Decke über die Füße, rückt den Sessel Richtung Fenster, sieht nach draußen.
Die Tür geht auf, Jojo kommt herein, er hat Folie, einen Eimer weiße Wandfarbe und Pinsel dabei.

Jojo Schönen Tag, die Knackibrigade Schöner Wohnen soll aus der Butze hier wieder eine menschliche Behausung machen. Glückwunsch, dass es ausgerechnet dich erwischt hat, lass die Korken knallen, die nächste Kolonne kommt frühestens in hundert Jahren, und wer weiß, ob wir das noch erleben, was?
Er stellt die Sachen ab.
Also, die nächsten Tage geht hier die Post ab.
Da hilft nur eins, Ruhe bewahren, keine Panik. Die Pantoffeln und die Strickweste bleiben sauber, du wirst gleich hübsch in Folie verpackt, ich hab sogar durchsichtige mitgebracht, damit du mir schwer beeindruckt beim Streichen zusehen kannst. Kommt ja schließlich nicht alle Tage vor, dass hier im Heim einer arbeitet, was? Klar, Strohsterne und so'n Tinnef is ja auch 'ne Schweinearbeit. Okay, das war der Showteil. Wo fang ich denn an? *Er sieht sich um.*
Die Wand hier ist ganz gut.
Leo dreht sich um, sieht Jojo an.
Was glotzt du denn so?
Der erste Besuch seit dem Krieg, was?
Glaub bloß nicht, dass ich das hier aus Menschenfreude mache.
Seh ich aus wie jemand, der ein Herz für Senioren hat?
Eben.

S.4, Z.-31

Also, bringen wir's hinter uns, ich streich dir die Bude, reiß meine Stunden runter und du versuchst mir nicht im Weg rumzustehen, okay? Also, ran an die Buletten.

Jojo setzt sich, zündet sich eine Zigarette an.

Ich rauch erst mal eine, darf ich doch, oder?
Ist doch für dich auch mal was anderes, nich?

Jojo raucht, Leo sieht ihn an.

Zigaretten heißen die Dinger.
Gab's das zu deiner Zeit in Freiheit noch nicht?
Oder findest du, dass ich faul und unverschämt bin.
Also dass das mal klar ist.
Wenn da irgendwelche Rentnersprüche kommen, werde ich ungemütlich.
Ich will das hier in Frieden hinter mich bringen, und es ist mir scheißegal, ob die Arbeitsmoral früher besser war.
Ich krieg keinen Pfennig für den Job, also seh ich auch nicht ein, dass ich mir hier den Buckel krumm schufte, das sind Strafstunden, höchstrichterliche Anordnung.

Leo sieht ihn an. Stille.

Ich hab keinen umgebracht, ich hab auch keinem Rentner das Hundefutter aus dem Kühlschrank gestohlen, keine Panik.

Stille.

Kannst ruhig wieder aus dem Fenster starren, ich klau dir schon keinen Karton unterm Arsch weg, ich steh nicht so auf Altertum, darfste alles behalten.

Jojo löscht die Zigarette.

Ich hol jetzt mal die Leiter rein, nur damit du nicht erschrickst und plötzlich gar nichts mehr sagst, wäre doch schade um die schöne Plauderei, was?
Was starrst du mich denn so an?
Ich hab kapiert, dass du ganz prima 'ne alte Echse nachmachen kannst, ich bin echt beeindruckt.
Also, lass mir meine Ruhe und guck aus'm Fenster.
Oh Mann, hier macht man was mit, ätzend.
Weißt du, ich hab das nicht so gern, das macht mich nervös.

Ich fang nachher noch an, deinen Lehnstuhl weiß zu streichen, und das wäre doch echt irgendwie voll übel, wo du dich jetzt so schön an das Kackbraun gewöhnt hast, oder? Dreh ab, hab ich gesagt! *Leo sieht zum Fenster hinaus.*

Na geht doch.

Jojo holt die Leiter, stellt sie auf, Leo dreht sich wieder um.

Oder soll ich dich zu den Bauklötzchen runterbringen, während ich hier rumzaubere?

So ein Partyknüller wie du kommt da doch bestimmt gut an.

Stille. Jojo räumt Kartons in die andere Ecke, legt Folie aus.

Also wenn du Spaß dran hast, bring ich dir auch gerne Sprechen bei. So die Grundbegriffe: ja, nein, bitte, danke, cool, kult, ätzend. Das kann wahre Wunder wirken, kommt man locker mit durch.

Naja, hier im Heim wahrscheinlich besser ›Hose voll‹ und ›Schmerzen‹.

So, Meister, jetzt geht's los!

Er steigt auf die Leiter, nimmt einen Pinsel voll Farbe und streicht eine Ecke.

Na? Wirkt doch gleich viel freundlicher.

Ja, hast du alles meinem Jugendrichter zu verdanken.

Ein geklautes Mofa, und schon geht für einen Rentner die Sonne auf.

Er streicht weiter.

Oder bedank dich besser bei der Alten, die nachts um zwei noch aus dem Fenster gafft, während Jugendliche versuchen, sich zu motorisieren. Ohne die hätte ich jetzt ein Mofa und 'nen freien Nachmittag. Mit 'nem schönen Platz hier im Heim wäre das nicht passiert, da hätte sie höchstens petzen können, wenn ihr euch die Gebisse aus dem Nachttisch angelt. Na ja, aber dann hätten wir uns nie kennengelernt, so ist das Leben.

Er streicht.

Find ich echt bombig, dass dir mein Humor liegt, renk dir bloß nichts aus beim Lachen, nachher bin ich noch schuld.

Jojo streicht, Leo hustet.

Oh Mann, ich bin richtig erleichtert, ich hab schon angefangen, mir Sorgen zu machen.
Wie bei meinem Opa.
Sitzt der mit Oma beim Essen, sagt sie, morgen gibt's Regen, sagt er, interessiert mich nicht mehr, legt sich hin und geht übern Jordan. *Jojo streicht, steigt dann von der Leiter.*
So, Halbzeit, große Pause.
Ich will ja schließlich auch nicht zu früh fertig werden, nachher schaff ich's in der halben Zeit und die kommandieren mich in eine andere Zelle und da sitzt einer rum und starrt mich nur an.
So Typen soll's ja geben.
Nee nee, hier ist's gemütlich, das teil ich mir gut ein.
Wenn ich hier fertig bin, sind meine Stunden rum, dann hat sich's mit dem Scheiß.

Jojo isst einen Schokoriegel.

Das ist ja richtig Knast hier.
Seid ihr alle gemeingefährlich oder was?
Bei den Bekloppten drüben versteh ich's ja, aber bei so Opas wie euch? Die haben wohl Angst, dass ihr vor ein Auto latscht, was?
Also eins weiß ich, bevor ich mal in so einem Rentnerknast lande, schieß ich mir 'ne Kugel in den Kopf.
Na ja, genug gelabert, der Berg ruft.

Jojo nimmt den Pinsel, steigt auf die Leiter.

Oh Scheiße, die Farbe.
Sag mal, Kumpel, kannst du mir mal eben den Eimer hochgeben?
So ein Mann in meinem Alter geht nicht gern zweimal 'ne Leiter hoch.

Leo erhebt sich langsam, Jojo streckt die Hand aus, Leo gibt Jojo den Farbeimer hoch, schrägt ihn dabei immer mehr an.

Hey pass auf, der kippt gleich.

Die Farbe läuft Jojo über die Füße.

Sag mal, bist du bescheuert?

BLACK.

2. Szene

Der nächste Tag. Jojo kommt völlig durchnässt herein, Leo sitzt wieder im Sessel, sieht nach draußen, Jojo flucht.

Jojo Verdammtes Scheißwetter. Hast du mal ein Handtuch oder so was?

5 *Leo reagiert nicht.*

Geben sie euch nicht, haben wohl Angst, ihr könntet euch damit abseilen, was.

Na ja, egal, kommt's nun auch nicht mehr drauf an.

Er zieht seine Jacke aus.

10 Also das mit der Farbe gestern wollen wir mal vergessen.

Sie haben mir unten gesagt, dass du nicht mehr ganz richtig tickst, also Gnade vor Recht.

Aber eins muss klar sein: Wenn heute irgendein krummes Ding läuft, werd ich ungemütlich, verdammt ungemütlich. Ich hab

15 nämlich eine Scheißlaune, und da kann ich's überhaupt nicht haben, wenn man mir quer kommt.

Jojo geht die Leiter hoch, beginnt verbissen zu arbeiten.

Leise. So ein Arschloch, so ein verdammtes Arschloch. *Laut.* Ich mein nicht dich.

20 *Er streicht.* Sag mal, musst du in einer Tour die Schnauze halten?

Die älteren Jahrgänge sind doch sonst so redselig.

Keine Storys aus dem Mittelalter? Stalingrad? Mein erster Büffel?

Stille.

25 Du hältst mich halt für 'nen Gangster.

So ein Typ, der nachts in seiner Lederkutte loszieht, Joe Cool, der Rentnerschreck.

Also, dann halt jetzt mal dein Gebiss fest, ich hab das Mofa gar nicht geklaut.

30 Da staunst du, was?

Ich bin genauso ein Trottel wie du, ich hab's für 'nen anderen auf mich genommen, weil der mit seinen Vorstrafen sonst direkt in den Bau gegangen wär. Echt edel von mir, was? So richtig Robin Hood.

Er streicht.

Und jetzt gibt er überall an, dass er einen Idioten gefunden hat, der für ihn die Strafe reißt; einfach, weil ich ihn so toll finde und mich bei ihm einscheißen will, da hab ich mir echt Ruhm eingehandelt, was? Ein Idiot, der einem Idioten kostenlos bei Regen die Bude pinselt, dolle Welt.

Er streicht, Leo hustet.

Sag mal, musst du so 'nen Krach machen? Ich muss mich konzentrieren.

Er holt ein Hustenbonbon aus der Tasche und gibt es Leo.

Teils dir gut ein, mehr gibt's nicht.

Kommt mit der Karre direkt zu unserm Bauwagen gefahren, Fluppe im Maul, gibt an wie Oskar.

So geht das Jojo, was de haben willst, musste dir nehmen, wenn du ein Kerl bist.

Fünf Minuten später sind die Bullen da.

Ach, was laber ich hier rum, ich streich die Bude, dann hat sich's.

Er streicht, Leo dreht sich um, sieht Jojo an.

Leo Du hast ja richtig Charakter.

Jojo lässt den Pinsel sinken, sieht Leo an.

Jojo Hast du grade was gesagt, oder bilde ich mir das ein?

Leo Du hast ja richtig Charakter.

Jojo Sag mal, kriegst du etwa alles mit, was ich da labere?

Leo steht auf, gibt dem völlig verdatterten Jojo ein Handtuch, der beginnt sich die Haare trocken zu reiben. Leo lässt eine Tasse Tee aus dem Samowar, Jojo steigt die Leiter herunter, Leo gibt ihm die Tasse.

Jojo Ich glaub, mein Schwein pfeift.

Jojo trinkt einen Schluck.

Jojo Sag mal, was ist denn das für 'ne Sorte?

Leo lächelt.

Leo Russischer Tee mit Wodka.

Jojo Besonders viel Tee ist da aber nicht drin.

Leo Tee macht den Kopf klar und Wodka das Herz.

Jojo Warum hast du denn die Schnauze gehalten?

Leo Ich hatte vor zwei Wochen einen Schlaganfall, seitdem kann ich nicht mehr sprechen.
Ich bin völlig hilflos, keiner weiß, wie viel ich überhaupt noch mitkriege, der arme alte Mann.

Jojo starrt Leo an.

Jojo Klar doch Schlaganfall, du sprichst doch ganz normal, verarschen kann ich mich alleine.

Leo lächelt.

Leo Ein Wunder, mein Kind, Gott hat ein Wunder geschickt.

Leo setzt sich wieder in den Sessel, sieht nach draußen.

Jojo Mann, du bist ja wirklich bekloppt, du hast ja original einen Sprung in der Schüssel.

Jojo geht die Leiter wieder hoch, streicht, wirft zuweilen beunruhigende Blicke auf Leo.

Jojo Was soll das heißen, ich hab Charakter, soll das 'ne Beleidigung sein?

Leo Du hast für einen anderen eine Strafe auf dich genommen, das ist Charakter. Das ist, was man tut für einen Freund.
Jetzt hat dich der Freund verraten, die Welt ist schlecht.

Jojo Der war nie mein Freund, der hat nur 'ne große Schnauze und spielt den Chef, also das ist es nicht.

Leo Ist sie ein schönes Mädchen?

Jojo Was soll der Scheiß denn jetzt, ich hab kein Wort von einer Tussi gesagt, bist du ein alter Schweinigel oder was?

Leo Das ist keine Schande.

Jojo Was red ich denn überhaupt mit dir, Lebensberatung bei den Bekloppten, so weit kommt's noch.

Leo Du wolltest ein Held sein, damit dein Mädchen dich liebt, und hast eine gute Tat begangen. Es bleibt eine gute Tat, auch wenn dich jetzt alle für einen Trottel halten. Du musst stolz darauf sein und wenn dein Mädchen nicht blöd ist, ist sie auch stolz auf dich.

Jojo Hör mal, das ist hier nicht Hollywood, so denkt die nicht.

Leo Wie denkt sie denn?

Jojo *Kleinlaut.* Das wüsst ich auch gerne. Sie ist 'ne Freundin von einer aus unserer Clique, ich kenn sie kaum.

Leo Na, und da wolltest du ein bisschen Eindruck schinden als großer Zampano, ist eigentlich nicht verkehrt gedacht. 5

Jojo Mir wird das hier langsam ein bisschen zu privat.

Leo Streich deine Wand, sonst musst du noch ein Mofa klauen, um fertig zu werden.

Jojo streicht.

Jojo Das ist doch vollkommen bescheuert, oder? 10

Leo Ich hab mal bei einem Rodeo mitgemacht, weil ich verliebt war.

Jojo Und?

Leo Ich hab zwei Wochen nicht sitzen können.

Jojo Hat's sich denn wenigstens gelohnt? 15

Leo Nun wird's mir ein bisschen zu privat.

Jojo streicht.

Leo Du solltest zu ihr gehen und mit ihr sprechen.

Jojo Tolle Idee, dass ich da nicht selbst draufgekommen bin.
Ich geh einfach hin und sage: Hier bin ich, dich habe ich unter 20
Millionen Frauen ausgesucht.
Ich, der große Jojo, der letzte Depp meiner Gang, weil ich so cool bin, dass ich noch nicht mal schwarzfahren kann.
Der Meister des Universums, der's noch nicht mal geschafft hat, 'ne Lehrstelle zu kriegen und deshalb seine Zeit auf Erden 25
damit zubringt, bei einem Trödler das Lager auszumisten.
Folge mir in die kosmischen Weiten, ich spendier dir 'ne Currywurst, ich hab zwei Tage gespart.

Leo Kauf ihr eine Rose.

Jojo Wie? 30

Leo Das sind diese roten Blumen mit den Dornen am Stiel, leg sie ihr vor die Tür.

Jojo Alles klar, ich reite auf einem weißen Gaul in ihre Mietskaserne und leg ihr Gemüse vor die Tür.

Leo Und morgen wieder, eine Woche lang. 35

Jojo Das geht bei der nicht.
Leo Dann nicht, du kennst ihr Herz besser.
Jojo streicht, denkt nach.
Jojo Wenn da irgendwas schiefgeht, komm ich morgen mit Silberfarbe hier an, da wird das hier Raumschiff Enterprise, ob dir das passt oder nicht, klar?

BLACK.

3. Szene

Jojo kommt herein. Leo sitzt im Sessel, er hat einen Bademantel an, vollgehängt mit Orden, ein Pokal steht neben ihm. Jojo sieht ihn verständnislos an.

Leo Guten Tag, Jojo ...
Jojo Angetreten, Herr General. Wer sind wir denn? Napoleon oder Stalin?
Ich sag der Schwester Bescheid, das muss man gesehen haben, für den Auftritt gibt's bestimmt 'ne extra Schlummerspritze als Belohnung.
Leo Mach dich nicht lustig über mich, die hab ich mir alle selbst verdient.
Jojo Da haste aber 'ne Menge Leute für abgeschossen, was? Oder zwanzig Jahre Mainz, wie es singt und lacht. Hör mal zu, mit so was kannste mir nicht imponieren. Heilige Scheiße, und ich dachte schon, du hättest irgendwie was auf dem Kasten. Ich fang jetzt an zu streichen, Rambo, okay? Wenn ich von da oben irgendwelche Indianer sehe, sag ich Bescheid.
Jojo klettert die Leiter hoch.
Leo Wenn du mal für fünf Minuten still bist, erkläre ich es dir.
Jojo Also, schieß los, besser gesagt, fang an.
Leo Ich möchte dich bitten, mir einen Gefallen zu tun.
Das sind Sachen, die sich im Lauf meines Lebens so angesammelt haben, ich brauche sie nicht mehr, hab sie nie gebraucht.

Du hast gesagt, du arbeitest bei einem Trödler.

Jojo Und ich soll dir das Lametta da verscheuern, was?

Leo Ich brauche nur zweihundertachtzig Mark, den Rest kannst du behalten.

Jojo Vergiss es. 5

Leo Aber ich brauche das Geld, dringend.

Jojo Ich hab gesagt, vergiss es.

Leo Gut, ich vergesse es, streich deine Wand, aber halt die Klappe, ich will nichts mehr hören.

Jojo Mein Gott, nun sei doch nicht gleich eingeschnappt. 10
Ich verkaufe dir den Plunder nicht, weil du da keinen Pfennig für bekommst. Das Zeug ist absolut nichts wert, verstehst du? Ich könnte genauso gut versuchen, lackierte Kronkorken zu verscherbeln. Überall in der Stadt kriegst du so einen Scheiß nachgeschmissen. Am Brandenburger Tor kannst du dich für 15 einen Heiermann vollhängen wie ein Generalfeldmarschall. Zweihundertachtzig Schleifen kriegst du dafür nie im Leben.

Leo schweigt, Jojo streicht.

Wofür brauchst du das Geld überhaupt?
Geht dir der Wodka aus, oder hast du Appetit auf einen Extra- 20 zwieback?

Leo Wofür gibt dein Trödler Geld?

Jojo Da musst du schon mit einer handsignierten Krawatte von Adolf Hitler kommen, für so was findest du immer einen Verrückten. 25

Leo steht auf, wühlt in seinen Kartons, packt allen möglichen Kram aus, breitet ihn auf dem Boden aus.

Leo Eine Taschenuhr? Sie geht zwar nicht mehr, ist aber sehr schön.

Jojo Nein. 30

Leo Kastagnetten?

Jojo Hast du nicht ’ne Knarre oder so was?

Leo Nein.

Jojo steigt von der Leiter.

Jojo Komm, lass mich mal, Alter. 35

Jojo wühlt in den Kartons, fördert einen Stapel alter Zeitungsausschnitte zutage. Liest.

Jojo Gestern Abend hat Leo, der rote Löwe im Sportpalast durch einen klaren Knockout in der dritten Runde den Kampf gegen Kid Sanchez für sich entscheiden können.

Er nimmt einen anderen Ausschnitt.

Großer Empfang für die Boxer aus Barcelona, der morgige Kampf von Baltasar Sangchili gegen den roten Leo wird mit Spannung erwartet.

Er nimmt einen anderen Ausschnitt.

Kultur trifft Sport. Gestern Abend besuchte der rote Leo die Galavorstellung im Wintergarten. Danach gab es noch ein Gespräch mit Größen des Showbusiness über die Gemeinsamkeiten von Boxen und Theater ...

Jojo sieht Leo an.

Sag mal, bist du das?

Leo Kann man dafür etwas bekommen? Zweihundertachtzig Mark?

Jojo Ich hab dich was gefragt. Bist du der rote Leo, der Boxer?

Leo Ja, warum?

Jojo wühlt in den Zeitungsausschnitten.

Jojo Oh Mann, du warst ja ein richtiger Star, du warst ein Boxer.

Leo Das ist ein Beruf wie jeder andere auch. Man versucht, so schnell wie möglich Feierabend zu haben und ohne ein blaues Auge nach Hause zu kommen.

Jojo Wieso denn der rote Leo?

Leo Nun, weil ich immer in Rot geboxt habe, ich hab mir extra knallrote Boxhandschuhe machen lassen.

Ich war sehr jung und ich war ein bisschen verrückt.

Jojo Der rote Leo! Du warst 'ne richtig große Nummer.

Leo Was sollte ich denn tun?

Ich hatte keinen Job, kein Geld, was hätte ich denn machen sollen, von irgendwas musste ich ja leben.

Damals haben alle geboxt, die ganze Stadt war verrückt danach, die Boxer waren richtige Stars, na, und ich hab Glück gehabt.

Dann musste ich weg, weil ich auch sonst der rote Leo war.
Ich war Soldat, Matrose, Leibwächter …
Die Zeiten waren ein bisschen unruhig, weißt du.
Dann war der Krieg vorbei und ich bin zum Zirkus, hab wieder geboxt. 5
Das ist kein leichtes Leben, wenn man ein friedlicher Mensch ist.

Jojo Du warst ein richtiger Held, Mann.

Leo Ich hab nur mein Leben lang versucht, durchzukommen.
Weißt du, ich schlag mich nicht gerne. Der schönste Job, den 10
ich hatte, war Lose verkaufen, als ich zu alt zum Boxen war.

Jojo Und das soll ich dir glauben?

Jojo wühlt in den Kartons, findet ein Paar zerschlissene rote Boxhandschuhe, er betrachtet sie ehrfürchtig.

Jojo Du stehst da im Ring, alle sehen dich an, und da ist so ein 15
Kerl, der will dir ans Leder, der will dich vernichten, er tänzelt um dich rum, und du schlägst zu, du machst ihn fertig, du bist der Sieger, das muss doch ein irres Gefühl sein.

Leo Ich hab immer Angst gehabt.

Jojo Angst? 20

Leo Dass ich mal an so einen gerate, so einen Killer, der kämpft, um sich zu beweisen, dass er der Größte ist, dass er ein Kerl ist, so einer, der es genießt, wenn Blut fließt.
Ich hab solche Typen immer gehasst. Ein richtiger Boxer ist ein Gentleman, ein Künstler. 25
Ein richtiger Boxer hat ein so großes Herz, dass er niemanden hassen kann. Er schlägt zu, aber nicht aus Hass, und wenn er einsteckt, nun, davon geht die Welt nicht unter, so ist das Leben, ganz k.o. ist man nie. Na gut, man liegt am Boden, dann steht man wieder auf. Es ist schön, wenn man gewinnt, aber wenn 30
man verliert, okay, dann das nächste Mal.

Jojo Aber wenn man so richtig zuschlagen kann, ist man doch der King. Wenn einen so ein Arsch blöd anlabert, rums, eins in die Fresse.

Leo Ich bin immer weggelaufen. 35

Jojo Aber du bist ein Boxer.

Leo Aber ich sag dir doch, ich schlag mich nicht gern, nur im Ring.

Jojo Nie?

Leo räuspert sich.

Leo Doch, einmal, und das ist mir heute noch unangenehm.
Ich war vorher in einem Heim, in dem ich mich richtig wohl gefühlt habe.
Na ja, und da ist es mir passiert, wie soll ich sagen, da hab ich mir einmal in die Hose gemacht, und das war mir sehr peinlich.
Weißt du, es ist nicht immer einfach, alt zu sein, wenn einen die Leute wie einen Idioten behandeln.
Und da war dieser Pfleger, ich hab ihn nie leiden können, so einer wie du, als du vorgestern hier reingekommen bist, so einer, der mit dir umgeht, als wäre man ein Meerschweinchen.
Er holt die Wäsche ab und bemerkt mein Missgeschick.
Da brüllt er, so dass alle es hören können:
He, Leo, wird wohl langsam Zeit für die Windeln.
Da hab ich mich sehr geschämt, aber ich dachte: Du bist nur ein kleiner Rotzlöffel, du wirst auch noch alt, schneller als du denkst.
Aber als er dann am nächsten Tag kommt und mich mit so einem gemeinen Lächeln fragt, ob ich denn noch trocken sei, ist mir doch die Wut gekommen.
Weißt du, ich war einmal berühmt für meine Linke, den Stahlhammer haben sie sie genannt.
Er ging sofort zu Boden, die anderen haben ihn noch lachend ausgezählt, aber ich wusste, jetzt kriege ich Ärger.
Also kam ich hierher, in die Geschlossene, weil sie dachten, ich bin gemeingefährlich.
Wenn ich nicht den Schlaganfall vorgetäuscht hätte, würden sie mich jetzt noch nicht in Ruhe lassen.
Ich hätte das nicht tun dürfen, es war falsch.

Ich glaube, sie nehmen es sehr übel, wenn ein Opa einen jungen Pfleger mit einem linken Haken erledigt, sie mögen es nicht.

Stille. Jojo sieht ihn bewundernd an.

Jojo Zeig mir, wie man boxt.

Leo Du willst ein Held sein, es ist besser, wenn du es nicht weißt. 5

Jojo Ich nehm den Kram mal mit, aber es wird eine Menge Arbeit, das zu verkaufen, ich werd es probieren.

Leo Ich denke mal drüber nach, vielleicht ein bisschen Beinarbeit. 10

Jojo packt die Sachen zusammen, geht zur Tür.

Leo Keine Silberfarbe?

Jojo Ich hab das Ding hingelegt und bin so schnell wie möglich weg.

Leo Du musst heute wieder hin. 15

Jojo Sei ehrlich, hast du das schon mal gemacht?

Leo Ich habe mal zwei Tage und Nächte unter dem Fenster einer Frau gewartet, die mein Herz gebrochen hat.

Jojo Das könnte ich nicht.

Leo Das ist keine Schande. 20

Jojo Sie wohnt im fünfzehnten Stock.

Leo Dann bring ihr Rosen.

BLACK.

4. Szene

Jojo kommt herein und stellt seine Sachen ab, er trägt eine Sonnenbrille. Leo sieht ihn verwundert an. 25

Leo Guten Tag, Jojo. Scheint denn die Sonne?

Jojo geht die Leiter hoch, fängt aber nicht an zu arbeiten, starrt nur die Wand an.

Leo Ist was passiert?

Stille.

Leo Möchtest du vielleicht einen Tee?

Jojo nickt. Leo schenkt ihm Tee ein, gibt ihm die Tasse hoch, Jojo trinkt sie in einem Zug aus, reicht sie Leo herunter, der schenkt nach, gibt sie ihm hoch. Jojo trinkt.

Leo Jojo, mein Junge, was ist denn los?

Jojo Sag nicht Junge zu mir.

Leo Gut, gut, ich hab's nicht böse gemeint.

Stille. Jojo dreht sich weg, nimmt kurz die Sonnenbrille ab und reibt sich die Augen, setzt die Brille dann wieder auf.

Leo Ist da was mit deinem Auge?

Jojo Was soll denn sein.

Leo Bei einem blauen Auge ist ein Stück kaltes Fleisch gut oder ein Eisbeutel.

Jojo Ich hab kein blaues Auge.

Leo Nun, ich seh nicht mehr so gut, wahrscheinlich hast du dich nur ungeschickt geschminkt.

Jojo Ich war besoffen und bin gegen die Tür gelaufen, so was kommt vor, oder? So was kann einem ja mal passieren.

Stille.

Leo Natürlich.

Warum soll man nicht einmal gegen eine Tür laufen.

Das ist keine Schande.

Die mutigsten und stärksten Kerle, die ich kannte, sind gegen Türen gelaufen, und manchmal waren das ganz kleine, unscheinbare Türen, wo kein Mensch draufkommt, dass man sich ein blaues Auge dran holen kann.

So ist das Leben, man will durch die Tür und läuft dagegen.

Jojo Eben.

Stille.

Jojo Ich hab heute keine Lust zu streichen.

Jojo greift in seine Hosentasche.

Ich hab dein Zeug verkauft.

Er holt ein paar Geldscheine heraus, dabei rutscht ihm ein Klappmesser aus der Tasche, es fällt zu Boden. Leo hebt es auf.

Leo Das ist ein schönes Messer.

Jojo Gib's her.

Leo Warum hast du ein Messer dabei?

Jojo Ich hab immer eins dabei.

Leo Nein, hast du nicht, es ist ganz neu. 5

Jojo Ich hab mein altes verloren.

Leo Einem Mann, der immer ein Messer in der Tasche hat, fällt es nicht einfach so heraus.

Jojo Gib es mir wieder.

Leo Nein. 10

Jojo Ich werd dich nicht ausrauben, is ja wohl nicht üblich, dass man seinem Opfer erst das Geld gibt, oder?

Leo gibt ihm das Messer.

Leo Also los, mach ihn fertig, er hat deine Ehre beleidigt, er hat dich vor allen zum Gespött gemacht, räch dich. Ehre kann man 15 nur mit Blut reinwaschen.

Jojo nimmt das Messer.

Jojo Verarsch mich nicht.

Leo Das würde ich nie tun, schließlich hast du jetzt ja begriffen, wo es lang geht, du hast dich lang genug zum Trottel gemacht. 20

Jojo rammt das Messer in die Wand.

Jojo Halt die Schnauze!

Leo Wieso, stimmt es nicht, was ich sage?

Jojo Ich mach ihn fertig.

Leo Du willst ihn am Boden sehen. 25

Jojo Der soll kapieren, dass er mich nicht zum Arsch machen kann.

Leo Er wird's kapieren, wenn er das Messer im Bauch hat,
und wenn er durchkommt, kann er immer denken:
Durch dich, Jojo, hab ich was kapiert. 30
Der geht für acht Jahre ins Gefängnis, damit ich was kapiere.
Was hat Jojo nicht alles für mich getan, und dann wird er dir mit der Krücke zuwinken, wenn du gerade an deinem Zellenfenster stehst, um frische Luft zu schnappen.

Jojo Schnauze. 35

Leo Und wenn du rauskommst und eine Arbeit suchst und der Chef fragt dich, was du die letzten Jahre gemacht hast und du sagst, ich habe für meine männliche Ehre Tüten geklebt, dann wird er aufstehen, dir auf die Schulter klopfen und sagen: Sie sind ein ganzer Kerl.
Einer, der für ein blaues Auge einen absticht, ist viel zu schade für meinen Betrieb. Hier arbeiten nur Leute, die mit dem Kopf denken, das ist nichts für Sie.

Stille.

Jojo Ich bin von hier direkt zum Laden, hab ihm dein Zeug gezeigt.
Er wirft einen Blick drauf, wühlt ein bisschen herum und sagt dreißig Mark.
Ich überlege noch, da wirft so ein Kunde, der im Laden rumlungert einen schrägen Blick drauf und fischt so ein altes Autogramm raus, kriegt leuchtende Augen und fragt mich, ob er das für zwanzig Mark haben könnte.
Nee, sag ich, ich hab ein Angebot von fünfhundert für die ganze Ladung und fange an, einzupacken.
Sagt der Chef ›hundert‹, und wenn er so schnell raufgeht, hat er angebissen. Ich verkaufe seelenruhig das Autogramm und gehe Richtung Tür, ruft der Chef ›dreihundert‹, und da hab ich eingeschlagen.
Mir ging's so richtig gut.
Da dachte ich mir, der Tag ist richtig, da bringst du alles ins Reine und bin zum Bauwagen.
Waren auch alle ganz nett zu mir, dass ich das gemacht hab und so, kommt der Arsch an.
Ich frage ihn, was für Scheiße er über mich erzählt, er stellt sich doof, hört mir gar nicht zu, was ich denn wolle, einen Heiligenschein oder was.
Da hab ich ihn angeschrien, was für ein Arschloch er ist,
er hört das und reicht mir voll eine rein.

Leo Und die anderen?
Von denen traut sich doch keiner das Maul aufzumachen.

Die fanden das bestimmt alle nicht richtig, aber wenn der Meister spricht.

Leo Aber wenn du ihn fertiggemacht hast, bist du der Meister, dann sagst du, wo es langgeht.

Jojo Quatsch, ich will mit den feigen Schweinen nichts mehr zu tun haben. 5

Leo Was willst du denn?

Jojo Ich will mich rächen. Scheiße, jetzt kommt's mir irgendwie auch blöde vor.

Leo Und was ist mit deiner Ehre? 10

Jojo Jetzt komm mir doch nicht so. Ich will mit denen sowieso nichts mehr zu tun haben.

Leo Dann ist es vielleicht ein bisschen aufwendig, zum Abschied noch einen abzuschlachten.

Jojo lacht. 15

Jojo Ja, irgendwie lohnt sich das nicht, obwohl man's ja eigentlich machen müsste.

Leo Ich musste mal im Krieg alleine auf Patrouille.
Ich sollte rausfinden, wo im Wald die ersten feindlichen Stellungen sind. Ich krieche da angstschlotternd durch den Wald 20 und sehe plötzlich vor mir einen feindlichen Soldaten sitzen, das Gewehr liegt neben ihm und er isst eine große, saftige Wassermelone. Da bemerkt er mich, sieht mich starr an. Ich hab mein Gewehr im Anschlag und ich hab Hunger.

Jojo Und? 25

Leo Ich hab mein Gewehr auch weggelegt und er gab mir die halbe Melone. Wir haben gegessen, zusammen eine Zigarette geraucht und dann bin ich wieder zurückgekrochen.
Bin ich ein Held?

Jojo Du bist'n Schnorrer. 30

Leo Morgen zeig ich dir, wie ein Boxer sich vor Schlägen schützt.
Jetzt geh, ich streich heute für dich.
Jojo packt seine Sachen.
Ich bin stolz auf dich.

Jojo Wieso? 35

Leo Weil du so ein gerissener Händler bist.
Jojo Das war wirklich keine schlechte Nummer.
Leo Ich bin auch sonst stolz auf dich. Wenn ich so klug wie du gewesen wäre, säße ich jetzt nicht hier. Deine Selbstbeherrschung möchte ich haben.
Jojo *Lacht.* Kann man lernen, Alter.
Leo Vergiss die Rose nicht.
Jojo Wozu brauchst du das Geld?
Leo Das wirst du morgen sowieso erfahren.

BLACK.

5. Szene

Leo in Boxergrundstellung. Jojo hüpft etwas ungeschickt in der Mitte des Raumes herum, die Fäuste erhoben. Leo deutet Schläge an.

Leo Da hätte ich dich erwischt, und da, siehst du, wieder.
Du musst dich mehr bewegen, nicht so lahm, na los.
Jojo Wie soll man denn einen Treffer landen, wenn man herumhüpft wie ein Huhn auf 'ner Herdplatte.
Leo Na gut, dann bleib einfach mal stehen, und los.
Leo deutet einen Treffer an.
Das wär's gewesen, hast du verstanden?
Das ist wie im richtigen Leben, du musst immer in Bewegung sein, und irgendwo ist eine Lücke, da kommst du rein. Wenn du dastehst wie eine Schießbudenfigur, gibt es immer jemanden, der Lust hat, dir eine reinzuhauen.
Zweite Regel: Du musst immer mit der Kraft deines Gegners kämpfen, du musst sie in deine eigene verwandeln, das ist das ganze Geheimnis.
Je stärker dein Gegner, desto größer deine eigene Kraft.
Jojo Gut, weiter.
Ein Geräusch ist zu hören, Jojo huscht die Leiter hoch, nimmt den Pinsel in die

Hand. Leo setzt sich schnell in den Sessel, zieht sich eine Decke über die Beine. Sie lauschen, es ist nichts mehr zu hören.

Leo Scheint nichts gewesen zu sein.

Jojo Die haben mich gestern schon so komisch angeguckt, als ich mit dem Veilchen hier reinmarschiert bin, du bist hier ja wirklich berüchtigt.

Leo Ich bin doch nur ein armer alter Mann.

Jojo Machen wir weiter?

Leo Wie spät ist es?

Jojo Zwanzig vor zwölf.

Leo Nein, dann muss ich jetzt gehen.

Jojo Wo willst du denn hin?

Leo Nach Südfrankreich.

Jojo Können vor Lachen, warum nicht gleich 'ne Weltreise.

Leo Später vielleicht, zuerst einmal nach Südfrankreich.

Jojo Jetzt bleib mal auf dem Teppich.

Leo Es ist mein Ernst, Jojo.

Jojo Du willst wirklich abhauen?

Leo Es ist das Normalste von der Welt. Ich fühle mich hier nicht wohl, also gehe ich weg. Die Fahrkarte kostet zweihundertachtzig Mark, die habe ich.

Jojo Und was willst du da unten machen?

Leo Ein Freund von mir hat da unten eine Kneipe, auch ein alter Boxer, wir haben uns oft verdroschen.
Er hatte einen rechten Aufwärtshaken, mir tut jetzt noch alles weh, wenn ich dran denke.
Wir haben uns immer gemocht. Er ist blind, weißt du.
Viele Boxer werden blind, das ist Berufsrisiko.
Er hat mich eingeladen, mit ihm die Kneipe zu führen.
Das wird mir mehr Spaß machen, als hier zu sein.

Jojo Aber das geht doch nicht.

Leo Warum denn nicht? Hier gefällt's mir nicht, also gehe ich woanders hin, das habe ich mein Leben lang so gemacht.

Jojo Einfach so? Ohne was?

Leo Ich werde meine Zahnbürste mitnehmen und meinen Hut.

Jojo Das ist doch völliger Blödsinn. Du kannst doch nicht einfach da rausmarschieren, du glaubst doch nicht, dass der Pförtner dich durchlässt.
Nee, nee, so was muss genau geplant sein.

5 **Leo** Von zwölf Uhr fünf bis zwölf Uhr zwanzig machen die Stationsschwestern Kaffeepause, in der Zeit komme ich unten bis zur Tür.
Zwischen zehn nach und Viertel nach zwölf kommt der Wagen, der das Essen bringt. Ein junger Mann fährt mit einem Auto
10 vor und geht mit drei Behältern in den hinteren Trakt. Dazu braucht er fünf Minuten, manchmal acht, je nachdem, welche Schwester er auf dem Flur trifft.
In dieser Zeit lässt er den Motor laufen.
Ich brauche mich also nur hinters Steuer zu setzen und loszu-
15 fahren.
Die Schranke an der Pforte wird offen sein, weil der Pförtner sie für die kurze Zeit nicht schließt.
Ich fahre bis zur nächsten U-Bahn-Station, dort lasse ich den Wagen stehen, steige um und fahre zum Bahnhof.
20 Ein Zug fährt um zwölf nach eins. Ist dir das genau genug geplant?

Jojo nickt.

Jojo Ich weiß wirklich nicht, ob du verrückt bist oder nicht.

Leo Wenn ich's noch nicht bin, würde ich's hier werden, also gehe
25 ich.
Wie spät?

Jojo Kurz nach zwölf.

Leo Denk an die Rose.

Jojo Gestern hätte sie mich fast erwischt. Ich leg das Ding vor die
30 Tür, da hör ich Schritte drinnen. Ich hatte Glück, dass der Aufzug offen war, die wollte mich abpassen. Ich hab das Gefühl, ich bin da ganz übel auf dem Holzweg.

Leo Leg heute einen Brief dazu, wann du sie treffen möchtest. Und wenn sie kommt, hab keine so große Schnauze, ja?

35 **Jojo** Ich werd's versuchen.

Leo Ich wünsch dir Glück.

Man hört draußen ein Auto vorfahren.

Leo Der Wagen kommt, ich muss mich beeilen.

Leo geht. Jojo geht zum Fenster, öffnet es, ein anfahrendes Auto ist zu hören, kurz danach ein lautes Klirren. 5

Jojo Scheiße!

BLACK.

6. Szene

Leo sitzt im Sessel, der wieder Richtung Fenster gedreht ist. Es klopft an der Tür. Leo reagiert nicht, Jojo öffnet die Tür.

Jojo Schläfst du, Leo? 10

Leo reagiert nicht, Jojo kommt herein.

Jojo Stell dir vor, die wollten mich unten erst gar nicht reinlassen, die wollten mir sogar die Stunde erlassen.
Da hab ich aber Krawall gemacht, das ginge gegen meine Malerehre, ich will das fertig machen. 15
Die waren richtig beeindruckt von meiner Arbeitsmoral. Keine schlechte Nummer, was?

Leo reagiert nicht.

Die haben sogar vorgeschlagen, dass sie dich rausbringen, solange ich arbeite. 20
Als wärst du King Kong oder so was.
Biste ja irgendwie auch.

Leo reagiert nicht.

Hör mal, Alter, das Spielchen hatten wir schon mal.
Ist irgendwas? Bist du verletzt? 25

Jojo wedelt mit der Hand vor Leos Augen herum.

Kuckuck.
Gong, nächste Runde.
Aufwachen, Frühstück, Mama hat röstfrischen Japskotzmeisterkrönungskaffee gekocht. 30

Jojo klatscht in die Hände.

Angriff, Attacke, wir werden von feindlichen Melonen angegriffen. Orden und Ohren anlegen und raus aus dem Bau.

Leo reagiert nicht.

Sie haben dir was gegeben, stimmt's? Die haben dich ins Reich der Träume geschickt.

Leo!

Leo nickt sehr schwerfällig.

Da hilft nur eins: Bewegung.

Jojo zieht Leo aus dem Sessel, geht mit ihm im Raum auf und ab.

Los, heb die Dackelbeine, einen Fuß nach dem anderen. So ist's gut.

Leo Jojo, ich bin müde, ich muss mich setzen.

Jojo Nichts da. Frühstück, Meister. Boxen oder Bergsteigen?

Fangen wir mit Bergsteigen an, rauf auf die Leiter, zwei Stufen.

Jojo stützt ihn, Leo geht die Leiter hoch.

Runter, los.

Leo atmet schwer, wird aber langsam wieder wacher.

Einmal noch, nicht so faul.

Er jagt Leo noch einmal die Leiter hoch und runter.

Okay, Gong.

Er fächelt Leo mit einem Tuch Luft zu.

Klarer Sieg nach Punkten.

Und Champion, hast'e was abgekriegt?

Leo schüttelt den Kopf.

Ich glaube, Autofahren ist nicht so deine Stärke.

Das sah aus wie ein Dummy Crashtest. Buff!

Voll gegen die Wand.

Du kannst echt froh sein, dass du nicht mit dem Kopf durch die Scheibe bist.

Leo Das war ein Automatik, so etwas bin ich noch nie gefahren.

Unten fehlte ein Pedal, ich wusste nicht, wo der erste Gang ist, da hab ich einfach draufgedrückt.

Leo setzt sich wieder in den Sessel.

Jojo Dumm gelaufen, was?

Leo Die können doch nicht einfach einen Automatikwagen nehmen.

Jojo Ja, das hab ich ja kapiert.

Leo Das ist nicht fair.

Jojo Jetzt, wo sie wissen, dass du mit Automatik nicht klarkommst, geben sie dir das nächste Mal bestimmt einen Schaltwagen.

Keine Sorge, ich red mit den Leuten, ein Panzer mit Knüppelschaltung, der geht auch nicht so schnell kaputt, musst ja auch nicht rückwärts einparken.

Leo Das hätte bestimmt geklappt.

Jojo So ein Quatsch! Diese ganze James-Bond-Tour war von vorne bis hinten hirnrissig.

Leo Wer ist James Bond?

Jojo Das ist ein Kollege von dir.

Leo Ich bin müde, ich will schlafen.

Jojo Du bist nicht müde, du bist bis an die Kiemen voll mit Drogen, du musst dich bewegen.

Jojo drückt Leo einen Pinsel in die Hand.

Los, du bist dran mit Streichen. Hier unten, damit du mir nicht von der Leiter kippst.

Leo beginnt zu streichen, Jojo setzt sich in den Sessel.

Ist doch gar nicht so ungemütlich, ich weiß nicht, wieso du immer weg willst.

Mensch, nun lass dir die Laune doch nicht so versauen, Alter.

Ein Boxer ist nie ganz k.o., hast du selbst gesagt.

Okay, du hast einen Scheißplan gemacht.

Vielleicht war's auch kein Scheißplan.

Tatsache ist, er hat nicht funktioniert. Dafür aber der andere, aber total.

Leo Was meinst du?

Jojo Die Rosennummer. Gestern bin ich hin, mit einem Zettel: Zwanzig Uhr McDonald's.

Leo Wer ist McDonald's?

Jojo Das ist kein Kollege von dir.
Auf jeden Fall schleiche ich auf Zehenspitzen hin und lege das Grünzeug auf die Matte. Plötzlich geht die Tür auf und sie steht da, strahlt mich an wie 'ne Bogenlampe.
Ich wäre am liebsten im Erdboden versunken.
Erst dacht ich, ich lauf einfach weg, aber dann dacht ich, jetzt ist es auch egal und drücke ihr die Blume in die Hand.
Sie fragt mich, warum ich nicht einen ganzen Strauß gebracht habe, dann hätte ich nicht so oft kommen müssen, sag ich: Gute Idee.
Mehr hab ich einfach nicht rausgebracht. Ich wusste einfach nicht, was ich sagen sollte, ich hatte einen Kloß im Hals und eine heiße Birne.
Also glotze ich sie nur an.
Sie kichert und fragt, warum ich so rote Ohren habe, sag ich, das kommt von der Höhenluft, ich wohne Erdgeschoss.
Der war doch nicht schlecht, oder?
Na ja, sie hat gelacht und gesagt, sie fände das total süß.
Ich treff sie morgen Abend, ist das nicht absolut geil?
Mensch, Leo, das hab ich dir zu verdanken.

Leo schweigt.

Wenn das irgendwie klappt, komme ich mal mit ihr vorbei.

Leo Die werden mich irgendwo anders hinbringen.

Jojo Warum sollten sie das?

Leo Die sperren mich irgendwo ein.

Jojo Ach was, die werden nur ein bisschen mehr aufpassen.

Leo Eben.
Ich werde nicht mehr allein in den Hof dürfen, sie werden genau auf mich aufpassen.
Ich komme hier nie mehr raus, das ertrage ich nicht.

Jojo Du bist hier nicht im Knast.

Leo Ich komme hier nicht mehr weg, was ist der Unterschied?

Jojo Vielleicht wäre das ja auch absolut blödsinnig gewesen in Frankreich.

Leo Wie soll ich das wissen, wenn ich nicht hinfahre?

Jojo Aber irgendwie geht's doch immer weiter, oder. Ich hab doch auch nichts, bei mir ist doch auch alles schiefgegangen, ist doch letztendlich genauso beschissen.

Leo Es ist doch egal, was man macht.
Was man machen könnte, ist wichtig. 5

Jojo Irgendwas wird dir schon einfallen.

Leo Jojo, es ist mein Ernst.

Leo gibt Jojo das Geld.

Das brauche ich nicht mehr.
Du kannst es haben. Tu mir nur einen Gefallen. Hol mir in der 10
Apotheke ein paar Tabletten, sagen wir drei Rollen.
Bring sie mir morgen vorbei.
Nimm den Rest und geh mit dem Mädchen bei dem Schotten essen.

Jojo Du bist doch vollkommen verrückt. 15

Leo Du sagst immer, ich wäre verrückt, wenn du etwas nicht verstehst. Du hast bis jetzt noch alles verstanden, du wirst auch das noch verstehen.
Bis dahin tu einfach, worum ich dich bitte, ja?

Jojo Und wenn mir noch was einfällt, um dich hier rauszuholen? 20

Leo Ich hab lange Wochen Zeit gehabt, mir etwas auszudenken, es hat nicht geklappt.
Ich bin müde, geh jetzt, ich will schlafen.
Es ist nicht mehr viel zu streichen, das schaffst du morgen. 25

Leo setzt sich wieder in den Sessel. Jojo zögert, dann geht er.

BLACK.

7. Szene

Leo sitzt im Sessel. Eine dicke, alte Frau kommt herein: Langer Mantel, Hut mit Schleier, Handschuhe.

Leo Was wollen sie hier?
Die Frau schweigt.
5 Sie haben sich bestimmt in der Tür geirrt.
Die Frau schüttelt den Kopf, holt aus ihrer Handtasche drei Rollen Tabletten und wirft sie Leo auf den Schoß.
Leo Hat Jojo sie geschickt?
Die Frau nickt.
10 Was ist denn mit ihm?
Die Frau zuckt mit den Achseln. Leo wirft einen Blick auf die Tabletten.
Das sind Multivitamintabletten.
Die Frau gibt ihm eine Fahrkarte.
Jojo?
15 *Jojo bekommt einen Lachanfall.*
Jojo Vitamine wirst du brauchen, Alter.
Schließlich hast du 'ne große Tour vor dir.
Na? Was sagst du, ist das nicht perfekt?
Du kannst echt froh sein, dass ich bei einem Trödler arbeite.
20 Das ist doch 'ne erstklassige Montur, oder?
Jojo nimmt die Perücke ab.
Scheiße, ist das heiß.
Kein Wunder, dass die immer so griesgrämig gucken, da läuft einem der Schweiß ja bis in die Schuhe. Das ist ja auch so 'ne
25 Sache für sich, ich hab mir fast die Haxen gebrochen, aber Turnschuhe wären nicht gegangen, fällt ja auf.
Das musst du unbedingt üben, bevor du rausgehst.
Leo Ich?
Jojo Ja klar, wer denn sonst?
30 Kapierst du denn nicht?
Du ziehst den ganzen Plunder hier an und marschierst zum Bahnhof, Fahrkarte hast du ja schon.

Leo schweigt.

Hast du Angst, belästigt zu werden oder was?
Dann stellst du mal kurz die Handtasche ab und ziehst mit dem Stahlhammer durch.

Leo Das kann ich doch nicht machen. 5

Jojo Das ist doch jetzt nicht dein Ernst, oder?

Leo Ich kann das nicht, da schäme ich mich.

Jojo So, wer will denn jetzt den Helden spielen?
Mit 'nem geklauten Auto vom Gelände rasen, aber nicht auf die Stöckelschuhe wollen. 10
Wer macht denn jetzt auf Männerehre?

Leo Ich weiß nicht.

Jojo reißt sich wütend die Klamotten runter.

Jojo Ich hab die Schnauze voll.
Weißt du, was mich das an Überwindung gekostet hat, hier so 15 aufzutauchen? Glaub bloß nicht, dass ich jeden Tag wie Charleys Tante durch Berlin fetze.
Ich hab eine Schweineangst gehabt, als ich heute Morgen los bin, und bis ich raus hatte, wie man die Plörren anzieht, sich schminkt, das Geeier auf den Schuhen und dann die Vorstel- 20 lung, dass meine Mutter früher von der Maloche kommt, da hätt ich mich gleich hier drüben in der Geschlossenen einquartieren können.
In der U-Bahn haben sie mir einen Platz angeboten, am Zoo haben mich die Zeugen Jehovas in die Mangel genommen, ich 25 bin ständig angerempelt worden, weil ich so langsam auf den Hacken bin, es war absolut zum Kotzen!

Leo Gar nicht so einfach, wenn man alt ist.

Jojo Darum geht's doch gar nicht.
Unten beim Pförtner hab ich extra ein bisschen getrödelt, damit 30 er sich eine dicke Alte merkt, die hier zu Besuch ist.
Es kann nichts schiefgehen.
Das ist ein Plan der oberen Spitzenklasse und du stellst dich an.

Leo Und wenn sie mich erkennen? 35

Jojo Dann kommst du halt auf die geschlossene Frauenstation, ist doch auch mal was anderes.
Ach, mach doch, was du willst, spring aus dem Fenster, lass mich in Ruhe.

Stille. Jojo zündet sich eine Zigarette an.

Leo Aber ich mach es doch …

Jojo Na endlich, du bist aber auch ein sturer Bock.

Leo Ich hab's gleich machen wollen.

Jojo Und warum zickst du dann so rum?

Leo Sei mir nicht böse, aber es hat mich gefreut, dass du dich so aufregst.

Jojo Du hast Nerven. Ich reiß mir den Arsch auf und du freust dich.

Leo Es ist schon lange nicht mehr vorgekommen, dass sich jemand für mich, wie hast du gesagt? – den Arsch aufreißt.

Jojo Ich hab einfach keine Lust, heute mit meiner Süßen auszugehen und zu wissen, dass sie dich gerade in den Kühlschrank schieben, das hätte mir den Appetit verdorben.

Leo Warum ist es dir so wichtig, dass ich hier rauskomme?

Jojo Man kann dich doch hier nicht vergammeln lassen.
Außerdem weiß ich dann, wohin ich im Sommer in den Urlaub fahre, ich wollte schon immer mal nach Frankreich.

Leo Und was wirst du machen?

Jojo Heute Abend, na ja, hoffen, dass ich nicht zu früh zu Hause bin.

Leo Und dann?

Jojo Irgendwas wird mir schon einfallen, irgendwie sehe ich's grade nicht mehr so eng.

Leo Du kannst eine Menge.

Jojo Da oben sind ein paar Farbnasen, sonst sieht's ganz manierlich aus.

Leo Nein, hier oben, mach was draus.

Jojo Du warst eine gute Lektion.

Leo holt die Boxhandschuhe und gibt sie Jojo.

Leo Hier, damit du die Lektion nicht vergisst.

Jojo Also, an die Arbeit, junge Frau.

Leo krempelt seine Hose hoch, zieht sich Strümpfe an, den Mantel, staffiert sich aus.

Leo Wie seh ich aus?

Jojo Ganz die Frau Mutter. Wenn das nicht klappt, graben wir nächste Woche einen Tunnel.

Leo Grüß dein Mädchen von mir.

Jojo Hast du noch irgendeinen Tipp für heute Abend?

Leo Schmink dir die Lippen ab.

Leo geht. Jojo stellt sich ans Fenster.

Jojo Bittebittebitte.

Jojo stößt einen Jubelschrei aus. Dann zieht er sich die roten Boxhandschuhe an, macht ein paar Schläge in die Luft.

Okay, Freunde, hier kommt der rote Jojo, was kostet die Welt.

Ab.

Musik.

BLACK.

Im Theaterstück "Das Herz eines Boxers" handelt es sich um zwei Männer: Leo und Jojo, die eine besondere Freundschaft.

Materialien

Inhalt

I Alt und abgeschoben?

1 Ein kurzer Ausflug in die Geschichte

Früher war alles besser – könnte man meinen, wenn einmal mehr das Bild der glücklichen Drei-Generationen-unter-einem-Dach-Familie heraufbeschworen wird. Doch der Eindruck trügt. Alte Menschen wurden in den meisten Gesellschaften Diskriminierungen ausgesetzt.
Hinweise über den Umgang mit älteren Menschen gibt es schon aus der Steinzeit. Tötungen alter Menschen gab es dort ebenso wie Beispiele für die selbstlose Pflege bedürftiger Alter. Von Nomaden, Jägern und Sammlern wurden hilflose Alte eher vernachlässigt oder sogar verlassen als von sesshaften Völkern.
Ein erheblicher Unterschied besteht oft zwischen den Mythen und den tatsächlichen Gepflogenheiten in Gemeinschaften. In zahlreichen Legenden der Inuit wird von der wunderbaren Rettung eines Greises erzählt. Wer sich seiner entledigen wollte, den erwarteten grässliche Strafen. Die Alten wurden als mächtige Zauberer oder Heiler beschrieben. Doch die Erzählungen entsprachen nicht der Realität. Ein Besucher bei einem anderen Polarvolk, den Jakuten, berichtete: „Selbst in wohlhabenden Häusern sah ich lebendige Skelette, halb oder ganz nackt, verkrochen in Winkeln, aus denen sie nur, wenn kein Fremder da ist, hervorkommen, um sich am Feuer zu wärmen und den Kindern Essensreste streitig zu machen."
Einen gravierenden Unterschied zu heute gibt es in jedem Fall: Nur wenige Menschen erreichten in früheren Jahrhunderten das Alter heutiger Senioren. Im 16. Jahrhundert in einer Stadt wie Genf alt zu sein, hieß: Von 1000 Geborenen erreichten nur 86 Menschen das 60. Lebensjahr, das 80. bloß noch 12 Personen. Im 18. Jahrhundert erreichten von 1000 Menschen 259 das 60. und 45 das 80. Lebensjahr. Historische Äußerungen über „die Alten" bezogen sich also größtenteils auf jüngere Menschen als heute.

Die wenigen im heutigen Sinne alten Menschen wurden als „Exoten“ entweder bewundert, beispielsweise als Schamane, oder, wie häufig in der griechischen Antike, total abgelehnt. Euripides schrieb: „Sie sollten, da sie doch keinen Nutzen mehr der Erde bringen, sterben und fortgehen und den Jungen nicht mehr im Wege stehen.“ 5
Von den griechischen Dichtern sind zahlreiche Klagen über das Alter erhalten: Mimnermos, Priester in Kolophon, klagt um 630 vor Christi: „Wer einst schön war, flößt selbst seinen Kindern und Freunden Mitleid ein, … er ist den Kindern widerwärtig, und die Frauen verachten ihn.“ Auf der anderen Seite errangen im alten Griechenland nur Alte Macht – wenn auch nur wenige. An der Spitze des Staates stand immer eine Ratsversammlung reicher alter Männer. 10
Wenig erstrebenswert klingt das Altwerden auch bei Cicero. Als die vier Eigenschaften des Alterns sah er: den Zwang zur Untätigkeit, die Schwächung der körperlichen Kräfte, den Verlust der Genussfähigkeit und die Nähe des Todes. Auf der anderen Seite glaubte er, dass die Seele nach Ableistung ihres Dienstes bei den Lüsten endlich für sich sei. Komme wissenschaftlicher Eifer hinzu, dann sei das hohe Alter „das Schönste, was es überhaupt gibt“. 15 20
Als römischer Bürger konnte man, so wie heute, im Alter ein gutes oder schlechtes Leben haben. Die mit dem guten, das waren die „seniores“, die mit dem schlechten die „pauperes“. Das ist ein Hinweis darauf, dass vermögende und mächtige Alte zu allen Zeiten Ansehen genossen, was allerdings Neid hervorrief, während arme Alte wirklich arm dran waren. 25
In der Bibel wird das Alter fast durchgehend gelobt und seine Tugenden hervorgehoben. Doch scheint die Zeit der Niederschriften auch nicht frei von Diskriminierung gewesen zu sein. Sonst hätte es mancher Ermahnungen sicher nicht bedurft: „Höre auf deinen Vater, der dich gezeugt hat, und verachte deine Mutter nicht, wenn sie alt wird“, heißt es dort ebenso wie: „Verbale und körperliche Gewalt gegen alte Menschen, Herrschaft von Menschen über Menschen bringt Unheil und ist Sünde.“ 30 35

Im Mittelalter fielen die alten Menschen mit der unproduktiven Altersphase in den unsicheren Status eines Mündels. Sie wurden häufig ihres Eigentums beraubt und obdachlos und mehr schlecht als recht von der öffentlichen Fürsorge unterstützt. Im Übergang zum Kapitalismus verschärfte sich diese „Freisetzung der Überzähligen" noch. Es entstand eine Altersarmut, die die Geringschätzung der Alten ebenso verstärkte, wie ihre Verfolgung als Hexen. Beides betraf Frauen noch stärker als Männer.
Weiter ging es in diesem Stil auch in der Renaissance. „Das Alter passt nicht in ihr Menschenbild. Häufig taucht das Hassthema der alten Frau – vorzugsweise als Kupplerin oder Dirne – auf; in den Komödien wiederum werden oft alte, reiche und geile Männer verächtlich gemacht.", so Armanski. Bis heute beneidet man Senioren wegen ihres Wohlstandes; Sexualität im Alter wird abgewehrt, ignoriert und belächelt.
César-Pierre Richelet war im 17. Jahrhundert Frankreichs erster Lexikograph. Unter dem Stichwort „Greis" heißt es bei ihm: „Einen Mann zwischen 40 und 70 nennt man einen Greis. Greise sind normalerweise misstrauisch, eifersüchtig, geizig, vergrämt, geschwätzig; sie beklagen sich immer: Greise sind zur Freundschaft nicht fähig." Im Märchen sind alte Frauen entweder böse Stiefmütter oder Hexen. Diese Einstellung findet sich in Redensarten und Gebräuchen wieder. Im Rheinland sagte man beispielsweise: „Begegnet man morgens einem alten Weibe, so hat man Unglück."
In der Literatur tauchte um 1800 zum ersten Mal ein achtenswerter Alter aus den unteren Ständen auf, der ergebene alte Diener. Als gelungen galt ein Leben weiterhin nur, wenn man bis zu dessen Ende arbeitete. Doch wer keine lebenslange Anstellung hatte, wie die Fabrikarbeiter, für den bot das hohe Alter weiterhin vor allem Verluste. Es galt: „Die Alten sind vom Standpunkt des produzierenden Kapitals überflüssig, ihre Unterhaltung bloß tote Kosten." Johann Friedrich Mayer schrieb Ende des 18. Jahrhunderts über das Schicksal alter Bauern: „Nicht nur, dass die Jungen wochen- und monatelang kein Wort mit ihnen sprachen, sondern

ihnen noch überdies alles Böse und den frühesten Tod überall laut herbeiwünschten, ja alles dazu beitrugen."
Zur Zeit der Französischen Revolution entstand die Idee des „neuen Menschen". Damit war sowohl die Gesellschaftsordnung als auch die ältere Generation gemeint. Ähnliches vollzog sich im 20. Jahrhundert. Die deutschen Jugendgenerationen der beiden Weltkriege wollten eine Wiedergeburt aus der demütigenden und totalen Niederlage; die Vergangenheit – und damit die Alten – vernichten für eine bessere Zukunft.
Was werden Altersforscher in 200 Jahren über die heutige Zeit schreiben? Werden sie die Schlagzeilen zitieren, die den Kampf der Generationen und die Angst vor dem Alter heraufbeschwören? Oder gelingt es, etwas anderes zu finden und zu leben, was das heutige Lebensgefühl später erklärt?

Aus: Astrid Nourney: Zu alt? Abgelehnt!
Berichte aus Deutschland über das Älterwerden.
Viola Falkenberg Verlag, Bremen 2006, S. 45 ff.

2 Der Alltag ist hart

Ein Postbeamter sagt einer älteren Frau am Schalter: „Wenn Sie bar einzahlen wollen, dann dürfen Sie nicht unterschreiben. Das müssen Sie alles noch mal ausfüllen." Sichtlich angespannt antwortet sie: „Ich habe aber meine Brille nicht dabei." Er: „Da 5 kann ich auch nichts machen. Wir dürfen das nicht ausfüllen, da ist schon zu viel passiert." Selbst wenn der Beamte formal Recht hat, wäre bei etwas Einfühlungsvermögen ein weniger ruppiges Ende der Geschichte möglich gewesen. Vielleicht hätte auch jemand in der Warteschlange die Frau unterstützen können. „An 10 und für sich ist Altsein bei uns noch erlaubt. Nur man sieht's nicht gerne", kommentiert der Kabarettist Dieter Hildebrandt solche Alltagssituationen.

Das „erlaubte" Altsein schließt Altersgrenzen natürlich nicht aus, auch bei der Freizeitgestaltung nicht – schon gar nicht solche, die 15 biologisch begründbar sind. Singen kostet beispielsweise Kraft, mit dem Alter nehmen Volumen und Stimmumfang ab. Aber wann und wie viel, das ist individuell. Barbara S. (56) berichtet: „Hauptkirchenchöre, die den Anspruch besonders guter Qualität haben, nehmen nur junge Stimmen. Häufig möchten sie keine 20 Menschen mehr mit 35 oder 40, es sei denn, sie können außergewöhnlich gut singen. In unserem Chor ist es beispielsweise so, dass alle zwei, drei Jahre jeder einzeln vorsingen muss. Wer schon älter ist und außerdem nicht mehr so gut singt, wird hinauskomplimentiert. Ich habe auch das Gefühl, 60 Jahre ist mit ganz weni25 gen Ausnahmen die absolute Obergrenze. Es gibt von uns Chormitgliedern keine solidarische Gegenwehr, weil man weiß, dass es nichts nützt, und außerdem macht diejenige, die durchfällt, ihr Scheitern nicht unbedingt öffentlich. Männer betrifft es nicht in dem Ausmaß, weil Männerstimmen weniger zahlreich sind. 30 Tenöre werden eben gebraucht und so nimmt man lieber einen Älteren als gar keinen."

Was finden viele am Rentnerdasein am schönsten? Die Freiheit! Endlich braucht man nicht mehr in einem eng geschnürten Korsett aus Terminen und Vorschriften zu leben. Auf Kosten anderer genießt die Freiheit vor allem der, dessen Angst vor einer Beschneidung geschürt wird. Ließe man den älteren Menschen dagegen ihr Selbstbestimmungsrecht und ihr Gefühl von Kompetenz, könnten sie entspannt und rücksichtsvoll sich selbst und anderen gegenüber ihr Leben weiter gestalten. Dadurch würden sogar einige negative Folgen des Alterns, wie schlechte Gesundheit, hinausgezögert, rückgängig gemacht oder sogar verhindert werden.

Doch dafür brauchen Menschen Gestaltungsräume, keine Bevormundung und Diskriminierung. Laura M. (80) bringt es auf den Punkt: „Ich ärgere mich über Leute, die denken, weil du 80 bist, wirst du langsam ein bisschen schwachsinnig. Sie wollen sich ‚kümmern', tun so, als wäre ich gar nicht mehr richtig da." Dabei gehören die heutigen Rentner zu den ersten Generationen älterer Menschen, die erfolgreich gelernt haben, bis ins späte Erwachsenenalter relativ „jugendlich" zu bleiben. Altersforscherin Professor Dr. Dr. hc. Ursula Lehr ergänzt: „Je älter wir werden, desto weniger sagt das Lebensalter etwas über unsere Fähigkeiten, Fertigkeiten und Erlebnisweisen aus."

Aus: Astrid Nourney: Zu alt? Abgelehnt!
Berichte aus Deutschland über das Älterwerden.
Viola Falkenberg Verlag, Bremen 2006, S. 49 ff.

3 Jugendliche und ihre Sicht auf das Alter

VON ULRICH SCHNEEKLOTH

Die sogenannten klassischen Lebensphasen Kindheit, Jugend, Erwachsenenphase und Alter sind heute weitaus weniger trennscharf und klarer voneinander abgegrenzt. „Objektive“ Zeichen dafür, dass man erwachsen ist (Heirat, Familie, festes Einkommen) sind heute weniger eindeutig im Lebenslauf antizipierbar und auch schwerer miteinander in Einklang zu bringen. Vergleichbares gilt für das Alter, das heute ebenfalls nicht mehr so eindeutig wie früher an einen eindeutig antizipierbaren Zeitpunkt wie etwa den Übergang in die Rente oder Pension gekoppelt ist. [...]
9% der Jugendlichen geben an, dass man dann nicht mehr zur Jugend gehört, wenn man die Schule beendet hat. Weitere 17% sehen dies dann als gegeben an, wenn man eine feste Arbeitsstelle hat. 38% meinen, dass dazugehört, ein eigenes Kind zu haben und eine Familie zu gründen. 30% geben hingegen an, dass man dann nicht mehr zur Jugend gehört, wenn man sich selber nicht mehr jugendlich gibt. Interessant sind auch die Einstellungen, ab wann man aus Sicht der Jugendlichen zu den alten Menschen gehört. 39% verweisen darauf, dass man zu den alten Menschen gehört, wenn man in Rente gegangen ist. 27% lokalisieren Alter im Zusammenhang mit einer vorhandenen Altersgebrechlichkeit, während 17% meinen, man gehöre dann zu den Alten, wenn man Oma oder Opa ist und eigene Enkel hat. 14% bringen Alter mit dem äußeren Erscheinungsbild wie z. B. grauen Haaren, Falten u. Ä. in Zusammenhang.
Adoleszenz, Erwachsensein und Alter werden von den Jugendlichen demnach nicht eindeutig im Zusammenhang mit klar definierten gesellschaftlichen Rollen, die die klassischen Lebensphasen prägen, abgegrenzt (Schulabschluss, Arbeitsstelle, Ruhestand). Neben den gesellschaftlichen Rollen haben auch die persönlichen Ressourcen (fit sein anstelle von Altersgebrechlichkeit) und die eigene Lebensgestaltung (sich jung geben, auch

unabhängig von der jeweiligen Statuspassage) einen entsprechenden Einfluss. Die Modebegrifflichkeiten „ewige Jugendliche" oder „junge Alte" markieren in diesem Sinne tatsächliche gesellschaftliche Veränderungsprozesse, die dazu führen, dass die Menschen von heute relativ unabhängig von ihrem Lebensalter unterschiedliche gesellschaftliche Rollen annehmen können. 5
Bemerkenswert ist, dass die Sichtweise der Jugendlichen auch auf das Alter im Besonderen inzwischen durchaus differenziert und weniger fatalistisch ist. Nur 21 % verbinden mit „dem Alter" den Gedanken, „altes Eisen" zu sein. 31 % verweisen darauf, dass man im Alter „Zeit für neue Aufgaben" hat, während jeder Zweite mit 48 % davon ausgeht, dass Alter bedeutet, „die Früchte des Lebens" genießen zu können. Alter erscheint für die Mehrheit der Jugendlichen demnach nicht mehr als primär defizitär, sondern als Etappe, in der nach wie vor relevante und auch persönlich befriedigende Elemente in der Lebensgestaltung möglich sind. 10 15
[...]
Dieses positive Bild, das die Jugendlichen von der älteren Generation entwerfen, korrespondiert mit der großen Übereinstimmung, auf die die Jugendlichen in Bezug auf ihre eigenen Eltern verweisen. 38 % der Jugendlichen beschreiben das aktuelle Verhältnis zu ihren Eltern so, dass sie mit ihren Eltern bestens auskommen, und weitere 52 % geben an, dass sie klarkommen, auch wenn es gelegentliche Meinungsverschiedenheiten gibt. Häufige Meinungsverschiedenheiten geben nicht mehr als 7 % und ständige Meinungsverschiedenheiten nur 2 % der Jugendlichen an. Gefragt nach dem Erziehungsstil und der Übereinstimmung mit den Eltern verweisen nicht mehr als 15 % derjenigen Jugendlichen, die noch bei ihren Eltern wohnen, auf Streit, wenn es um wichtige Probleme geht. Anders als ihre Eltern sie erzogen haben, wollen nur 27 % ihre (späteren) eigenen Kinder erziehen. 20 25 30

Aus: Jugend 2006.
15. Shell Jugendstudie: Eine pragmatische Generation unter Druck.
Fischer Verlag, Frankfurt am Main 2006, S. 148 ff.

4 Entmündigung durch Sprache

Ob Mann oder Frau, diskriminiert werden wir alle. Wie bei einer Uhr, die immer wieder nachgeht, versuchen viele bei älteren Menschen etwas zu korrigieren, was ihnen wie eine Abweichung von der Norm vorkommt. Widersprach in Fernsehsendungen ein älterer Gast dem jüngeren Reporter oder Gesprächspartner oder wich vom Thema ab, so reagierten die Interviewer mit einer deutlichen „Tendenz zur Entmündigung". Sie wiederholten das Thema unermüdlich, wenn der ältere Gesprächspartner es verlassen wollte, oder ignorierten seine Einwände schlicht.

Wir sehen schlechter und hören schlechter, wenn wir altern, und glauben dadurch irrigerweise auch schlechter zu denken. Wir werden aber, was die Sache noch mehr verschärft, auch von den anderen so schlecht gesehen, dass wir in den Bildmedien gar nicht mehr existieren. Und was wir sagen, wird offenbar kaum noch verstanden.

Wir werden Sehkraft *und* Gehör, unser Spiegelbild *und* unsere Sprache verlieren. Glauben Sie es nicht mir, glauben Sie jenen, die all die umfangreichen Studien ausgewertet haben. Schon mit Blick auf die heutigen Zahlenverhältnisse zwischen Jung und Alt müssten wir Konsequenzen ziehen. Sprache ist Wirklichkeit, Sprache schafft Wirklichkeit. Akzeptieren wir die Tatsache, dass wir es sind, die in den kommenden zwei bis vier Jahrzehnten als Bewohner dieser überquellenden Hölle gegrillt werden – lange bevor die Klimakatastrophe uns erwischt. Wenn wir unsere diskriminierenden Einstellungen nicht grundsätzlich ändern, werden wir, die Alten der Zukunft, eine eigene übersetzungsbedürftige Sprache sprechen; wie einst in der Sklavensprache werden im Altersjargon Dominanz- und Unterwerfungsriten eine eigene Grammatik unserer Gefühle bilden.

Wir sollten wissen, wie mit uns geredet werden wird, wenn wir die Schwächeren sind. Wir sollten es schon deshalb wissen, weil wir die ersten Älteren in einer Kommunikations- und Informationsgesellschaft sein werden. Die jüngeren Menschen, die nach uns kommen, werden durchs Internet die Botschaft empfangen, dass nur existiert, was kommuniziert. Psychologen haben berichtet, dass Unterhaltungen zwischen Pflegekräften und älteren Patienten von Unterhaltungen zwischen Erwachsenen und 2-jährigen Kleinkindern nicht unterschieden werden können. Es handelt sich nämlich häufig nicht um Unterhaltungen, sondern um „sekundäre Babysprache", und ihr Gebrauch war nicht davon abhängig, in welcher geistigen Verfassung der ältere Mensch war. „Der jüngere Sprecher wird, wenn er zum Beispiel eine gewisse Schwerhörigkeit bemerkt, nicht nur lauter sprechen, sondern möglicherweise auch bemüht sein, einfacher zu sprechen und seine Intonation zu verändern." Solche „Überanpassung" ist natürlich ein Teufelskreis. Der ältere Sprecher hat den Eindruck, nicht mehr ernst genommen zu werden, verändert sein Reden und beschädigt seine Selbsteinschätzung. Was geschieht, wenn wir alle, die wir die künftige Mehrheit dieser Gesellschaft bilden werden, jedes Jahr ein ganz kleines bisschen schlechter hören und sehen werden? Dieser Verschleiß, das belegen alle Untersuchungen, wird von Jüngeren, etwa in Unterhaltungen, bereits als Zeichen von intellektueller Schwäche gedeutet.

Es kann sein, dass ein Land, in dem die Mehrheit immer schlechter hört und sieht, neue Sprechweisen entwickelt. Wir müssen begreifen lernen, dass das etwas theoretische Problem, wie man miteinander spricht – das philosophische Problem, dass sich in Gesprächen zwischen Menschen sehr schnell nicht die Kraft der Argumente, sondern ein Recht des Stärkeren durchsetzt –, in unserem künftigen Alter von existentieller Bedeutung sein wird.

Aus: Frank Schirrmacher: Das Methusalem-Komplott. Karl Blessing Verlag, München 2004, S. 164 ff.

II Kinder- und Jugendkriminalität

1 Jugendstrafvollzug zwischen Erziehen und Strafe

Nach §91 des Jugendgerichtsgesetzes – der Grundsatznorm für den Jugendstrafvollzug – soll der Verurteilte zu einem „rechtschaffenen und verantwortungsbewussten Lebenswandel" erzogen werden. Wenn auch das deutsche Jugendstrafrecht, 5 wie schon seine Bezeichnung sagt, Strafrecht im eigentlichen Sinne ist, so gilt dies keineswegs entsprechend auch für den Jugendstrafvollzug. Dort geht es nicht mehr, wie noch im Strafverfahren, (auch) um Bestrafung, vielmehr steht nun das Ziel der Erziehung absolut im Vordergrund. Für andere Strafzwecke 10 ist dagegen im Jugendstrafvollzug kein Raum. Mag im allgemeinen Strafrecht (für Erwachsene) Erziehung nicht der einzige Sinn der Kriminalstrafe sein, so ist sie doch ausschließlicher Auftrag des Jugendstrafvollzuges. Unstreitig ist jedenfalls, dass der Jugendstrafvollzug Sondervollzug in dem Sinne ist, dass bei 15 der gesamten Vollzugsgestaltung das Erziehungsziel, und zwar bezogen auf den einzelnen Gefangenen und seine Bedürfnisse, im Vordergrund zu stehen hat. Es geht also nicht um Erziehung durch Jugendstrafvollzug, sondern vielmehr um Erziehung im Jugendstrafvollzug. Dort soll weder Unrecht vergolten noch 20 abgeschreckt oder gar ein Exempel statuiert, sondern erzogen werden.

Nun ist allerdings der Erziehungsbegriff im gesamten Jugendstrafrecht und somit auch in §91 Abs. 1 JGG offen, wenig konkretisiert und stellt eine Art Generalklausel dar. Er bedarf somit der 25 Auffüllung und Konkretisierung. Nach längerer Diskussion dürfte inzwischen im Wesentlichen Einigkeit darüber bestehen, dass das Erziehungsziel im Jugendstrafrecht nicht mehr, aber auch nicht weniger bedeutet als künftige Legalbewährung.

Erziehung ist dann freilich streng genommen kein Strafzweck, 30 sondern das Mittel zur Erreichung dieses Zweckes. Erziehung be-

deutet damit Bereitstellung individuell geeigneter Angebote, um ein Leben ohne Straftaten führen zu lernen.
Ist somit das Ziel der Erziehung im Jugendstrafvollzug, nämlich Legalverhalten, weithin anerkannt, so ist doch das Mittel zur Erreichung dieses Ziels, eben die Erziehung, in die Diskussion geraten. Dies dürfte unter anderem darauf zurückzuführen sein, dass immer mehr ins Bewusstsein getreten ist, dass falsch verstandene Erziehung oder Fürsorge auch bei bester Absicht zur Bevormundung oder Entmündigung des Betroffenen führen, im Extremfall sogar zum Terror entarten kann, und das erst recht unter den repressiven Vorzeichen des Strafvollzugs. Weiter war vorgebracht worden, dass der Erziehungsgedanke zu einer gefährlich unbestimmten Leerformel geworden sei, mit der Eingriffe in die Rechte der Jugendlichen gerechtfertigt werden, die weit über das hinausgehen, was Strafrecht und Strafprozessrecht ansonsten zulassen. [...]
Somit wird das Ziel von Erziehung heute im Jugendstrafvollzug, wie auch sonst in der Pädagogik, allgemein als Entwicklung im Sinne der Entfaltung der Persönlichkeit zu beschreiben sein. Die individualisierte und demokratische Gesellschaft bietet ja auch denjenigen keinen attraktiven Platz mehr, die primär nur das Gehorchen gelernt haben. Freilich ist es dabei nicht gleichgültig, welche Art von Persönlichkeit entwickelt wird. Es kann nicht bloß die Entfaltung der autonomen Persönlichkeit angestrebt werden, sondern es muss darüber hinaus um eine solche gehen, die in sozialer Verantwortung Recht und Gesetz achtet. Ziel jeder pädagogischen Praxis muss es deshalb zunächst sein, dass sich für die Jugendstrafgefangenen die Möglichkeiten praktischer Realisierung ihrer Kompetenzen verbessern. Zusammengefasst geht es also um Entwicklung der Persönlichkeit des Jugendlichen in dem Sinne, dass dies letztlich zur Legalbewährung führt.

Aus: Joachim Walter: Jugendstrafvollzug zwischen Erziehen und Strafe. In: Günter Gehl (Hrsg.): Kinder- und Jugendkriminalität. Hrsg. im Auftrag der Katholischen Akademie Trier (Soziale Dienste 6). Verlag Rita Dadder, Weimar 2000, S. 91 f.

2 Wie man in Deutschland kriminell wird

In den Statistiken steigt vor allem die Jugendkriminalität an. Das erregt den Volkszorn und lässt sich politisch gut ausschlachten. Wirtschaftskriminelle dagegen dürfen auf Verständnis hoffen.

Von Sabine Rückert

Bei den Jugendlichen ist das Geschlechterphänomen besonders frappant. 95 Prozent aller männlichen Jugendlichen werden mindestens einmal kriminell, sagt die Dunkelfeldforschung. Die wenigsten werden allerdings erwischt, und das ist gut so. Denn Jugendkriminalität ist fast immer eine „Krankheit", die sich selber heilt. Die Mahnung „Wehret den Anfängen!" ist deshalb übertrieben, denn nur wenige Täter gehen über den Anfang hinaus. Die Verstöße Jugendlicher sind in der Regel Bagatelldelikte. Schwarzfahren, Beleidigungen, Raufereien, Haschischkaufen, Klauen, Sachbeschädigung, kleine Einbrüche – das sind massenhafte, ubiquitäre und vorübergehende Erscheinungen, die immer noch der normalen Persönlichkeitsentwicklung eines jungen Mannes zugerechnet werden. In diesem Punkt sind sich Strafrechtsgelehrte und Kriminologen einig. Auch Mehrfach- und Vielfachtätern ist der Weg vom jugendlichen Nichtsnutz zum professionellen Panzerknacker nicht schicksalhaft vorbestimmt. Die meisten finden auf den Pfad der Tugend zurück (oder setzen ihre Untaten außerhalb des Lichtkegels amtlicher Kriminalstatistiken fort).

Kriminalität wächst durch Aufmerksamkeit

Dass die Jugendkriminalität in den Kurven des Bundeskriminalamtes trotzdem hochgeschnellt ist, hat mehrere Gründe. Zum einen vervielfachte sich nach der Wiedervereinigung die Zahl der Eigentumsdelikte im Osten: Mit Konsumreizen und Werbung überschüttete Jugendliche in Brandenburg und Mecklenburg-Vorpommern griffen munter zu. Ausgeklügelte Sicherungssysteme, Heere neu

eingestellter Kaufhausdetektive und allgegenwärtige Videokameras tragen zur massenhaften Überführung jugendlicher Frevler bei. Dazu kommt die erhöhte öffentliche Aufmerksamkeit, die dem Phänomen der Jugendkriminalität in den vergangenen Jahren zuteil wird und die damit einhergehende Anzeigefreudigkeit. Die (statistische) Kriminalität wächst also auch dadurch, dass man über sie liest und spricht.
Während früher nach einer Körperverletzung oder einem Diebstahl sich der Vater des Opfers beim Vater des Täters beschwerte und der den Sohn am Ohr aus dem Kinderzimmer holte, schaltet man heute Anwälte oder Behörden ein. Die Angehörigen von Tätern und Opfern klären die Fragen von Schuld und Sühne nicht mehr unter sich. Oft türmen sich zwischen den betroffenen Familien unüberwindliche ethnische Barrieren auf, denn viele jugendliche Täter kommen aus dem Ausland, aus der Türkei oder den GUS-Staaten. Es gibt zwischen Täter- und Opferfamilien keine gemeinsame Sprache mehr und wenig gemeinsame Wertvorstellungen. Auch über die sozialen Gräben hinweg wird in Deutschland kaum noch nach Konfliktlösungen gesucht. Die Polizei – die in den Schulen stärker präsent ist – wird zum Ansprechpartner. So wächst sich das, was früher zwischen Privatleuten beredet und bereinigt wurde, zu einer Sache für die staatliche Strafverfolgung und die Kriminalstatistik aus.
[...]
Trotz alledem bleiben 92,5 Prozent der Jugendlichen und Heranwachsenden mit deutschem Pass polizeilich unauffällig. Von den 7,5 Prozent, die sich durch Straftaten hervortun, schlagen nur wenige (man spricht von 5 bis 10 Prozent der Auffälligen) tatsächlich eine kriminelle Karriere ein. Diese kleine Zahl chronischer Täter ist verantwortlich für über 50 Prozent der Jugendkriminalität und verdirbt den Ruf einer ganzen Generation.

Die Zeit, 22.01.2004.

III Boxen

1 Das Boxerlied

Was hat der Boxer vom Leben der Welt?
Das muss er meiden, was ihm grad gefällt.
Sucht er sich manchmal fürs Herz einen Schatz,
hat er im Ring keinen Platz.

5 Was hat ein Boxer mit Liebe zu tun?
Nie darf er tun, was er will.
Teilt er sein Herz, dann ist alles vorbei.
Dann ist's um ihn auf einmal still.

Das Herz eines Boxers kennt nur eine Liebe:
10 Den Kampf um den Sieg ganz allein.
Das Herz eines Boxers kennt nur eine Sorge:
Im Ring stets der Erste zu sein.
Und schlägt einmal sein Herz für eine Frau
stürmisch und laut:
15 Das Herz eines Boxers muss alles vergessen,
sonst schlägt ihn der Nächste knockout!

Ist oft ein Boxer berühmt und bekannt,
weil er im Kampfe sein Bestes nur gibt,
schnell bricht man ihm die geschworene Treu',
20 schnell ist's mit allem vorbei.

Wenn er nur einmal den Kampf nicht besteht,
wer nimmt noch seine Partei?
Nichts als der Spott ist der Dank,
wenn er dann geht, dann kommt der Nächste an die Reih'.

Das Herz eines Boxers kennt nur eine Liebe:
Den Kampf um den Sieg ganz allein.
Das Herz eines Boxers kennt nur eine Sorge:
Im Ring stets der Erste zu sein.
Und schlägt einmal sein Herz für eine Frau 5
stürmisch und laut:
Das Herz eines Boxers muss alles vergessen,
sonst schlägt ihn der Nächste knockout!

„Das Boxerlied", Musik: Artur Guttmann, Text: Fritz Rotter.

2 Boxen macht Schule

Von Andre Wagner

Lehrer an NRW-Schulen nehmen und geben Boxunterricht – um die Aggressionen ihrer Schützlinge in die richtigen Bahnen zu lenken

Hand aufs Herz: Wer hat in seiner Schulzeit nicht mal davon geträumt, seinen Lehrer mit einem prächtigen Aufwärtshaken oder einer gezielten Rechten auf den Boden des Klassenzimmers zu schicken? Doch Vorsicht! Die Pädagogen könnten ab sofort auch mal zurückschlagen. Ein Box-Kurs des Dortmunder Vereins „Boxsport 20/50" jedenfalls, eigens für Lehrerinnen und Lehrer angeboten, hat bei den elf Teilnehmern, darunter auch drei Frauen, seine Wirkung nicht verfehlt.

Wollen sich tatsächlich frustrierte Lehrkörper der ständig zunehmenden Gewalt an deutschen Schulen mit Boxtechniken stellen? Weit gefehlt. Blickt man auf die wahren Motive der Teilnehmer und ihrer Schulen, dann tritt ein nachahmenswertes Konzept zur Gewaltprävention bei Konflikten von Jugendlichen zu Tage. Boxen nur eine Sportart für „Machos" und Schläger? Mit diesem Vorurteil wollen Dieter Schumann vom „Boxsport 20/50" und vor allem die Gesamtschule Berger Feld in Gelsenkirchen gründlich aufräumen. „Wir wollen mit unserem Angebot die Lehrer nicht in knallharte Kämpfer verwandeln", erklärt Schumann. Der Vereinschef will vielmehr einen Einblick in den Boxsport geben und Lehrer dazu bewegen, auffällig aggressive Schüler in den Verein zu schicken, um dort positiv auf sie einzuwirken. „Beim Boxen stehen Sauberkeit und Fairness im Mittelpunkt. Aggressionen werden in die richtigen Bahnen gelenkt", spricht Schumann aus Erfahrung. Außerdem wirke auch der Kontakt mit den Vereinskameraden aus zwölf Nationen gegen Ausländerfeindlichkeit.

Peter Petrak, promovierter Sozialökonom an der Gesamtschule Berger Feld, wagte in seiner Funktion als Vertrauenslehrer den Schritt in den Ring.

[...]

Offensiv geht die Gesamtschule Berger Feld (1600 Schüler) in Gelsenkirchen mit dem Thema Gewalt um. Angeregt durch die Erfahrungen von Peter Petrak und inspiriert vom Boxkurs für Pädagogen plant die Lehranstalt im Schatten der Arena „AufSchalke" jetzt das Projekt „Anti-Gewalt-Training", bei dem Boxübungen auf dem Lehrplan stehen. In einer Arbeitsgemeinschaft auf freiwilliger Basis soll Schülerinnen und Schülern die Philosophie des Boxens vermittelt werden.

Mit dieser Idee stieß Petrak bei Direktor Georg Altenkamp und Sozialpädagogin Marie-Luise Raschtuttis auf offene Ohren.

Die 53-jährige Raschtuttis, dank Karate und Kickboxen bereits mit Kampfsportarten vertraut, ist sich sicher: „Das Training steigert das Selbstbewusstsein der Kids, die dann bei Problemsituationen im Alltag anders auf Gewalt reagieren. Dank des Wissens, Schlägen ausweichen zu können, stehen die Jugendlichen Konflikten gelassener gegenüber." Denn Gewalt sei immer nur ein Ausdruck von Hilflosigkeit.

Die Schüler sollen beim Boxen lernen, sich an Regeln zu halten. Ein Verstoß gegen den Verhaltenskodex würde den Ausschluss aus der Gemeinschaft bedeuten. Ziel: Mit dem erzieherischen Charakter des Boxens der Gewalt im Alltag begegnen. „Boxen ist Sport. Henry Maske, immer ein fairer Sportsmann und kein K.O.-Schläger, ist das große Vorbild", betont Petrak.

Petrak jedenfalls hat Blut geleckt. Einmal pro Woche bearbeitet er jetzt beim Dortmunder „Boxsport 20/50" die Sandsäcke. Zusammen mit Marie-Luise Raschtuttis wird der zweifache Familienvater die Box-AG leiten. Schließlich ist der boxende Pauker nach dem sechswöchigen Lehrgang fit genug, um sein Faustkampf-Wissen an die Jugendlichen weiterzugeben. Eine Aktion, die im wahrsten Sinne des Wortes Schule machen könnte.

Welt am Sonntag, 25.04.2004.

3 Boxerlegenden

Max Schmeling

„Ich habe mich immer so verhalten, als ob es einen Gott gibt."

Muhammad Ali

Während wir noch Videos von den Kämpfen gegen Liston und 5 Patterson sahen, fragte ich Ali, wie er gern in Erinnerung bleiben würde. Er gab keine Antwort. Doch vor langer Zeit, als sein Körper ihm noch die freie Rede gestattete, hatte Ali diese Frage schon einmal beantwortet:

„Ich will Ihnen sagen, wie ich in Erinnerung bleiben möchte: Als 10 Schwarzer, der den Titel im Schwergewicht gewonnen hat, der humorvoll war und jeden gerecht behandelt hat. Als ein Mann, der nie auf die herabgesehen hat, die zu ihm aufgesehen haben, und der so vielen seines Volkes wie nur möglich geholfen hat – finanziell und auch in ihrem Kampf um Freiheit, Gerechtigkeit und 15 Gleichheit. [...] Und wenn das alles zuviel verlangt ist, würde es mir auch genügen, wenn man mich nur als großen Boxchampion, der Prediger und ein Champion seines Volkes wurde, in Erinnerung behält. Und es würde mir nicht einmal etwas ausmachen, wenn die Leute vergessen, wie schön ich war."

Aus: David Remnick: King of the World.
Der Aufstieg des Cassius Clay oder Die Geburt des Muhammad Ali.
Aus dem Amerikanischen von Eike Schönfeld.
Berlin Verlag, Berlin 2000, S. 473.

20

Rocky Graziano

Wo sonst als beim Boxen kann ein Typ wie ich etwas werden? Was ist besser? Stehlen, Verhungern oder Boxen?

Aus: Ring frei!
Ein Lesebuch vom Boxen. Hrsg. von Manfred Luckas.
Philipp Reclam jun. GmbH & Co., Stuttgart 1997, S. 128.

Henry Maske

Auf die Frage nach dem Geheimnis seines sportlichen Erfolgs hat Henry Maske einmal geantwortet:

„Es gibt da kein Geheimnis. Es war viel einfacher: Ich habe in all den Jahren nie das Ziel aus den Augen verloren. Wer ein klares Ziel hat, der kann immer noch stolpern, aber er stolpert nicht so schnell wie andere. Das ist vielleicht die wichtigste Erfahrung, die ich in meiner Karriere gemacht habe. Mein Ziel hat mich immer motiviert, und diese Motivation hat ungeheure Energien freigesetzt.

Aber ich habe auch gelernt, dass selbst die beste Motivation nichts nützt, wenn der Wille zur Leistung nicht da ist. Wenn man etwas wirklich will und alles dafür tut, dann kann man es auch schaffen. Dann steht man immer wieder auf, wenn man einmal gefallen ist, und geht unbeirrt weiter, bis man das Ziel erreicht hat."

In: http://www.henrymaske.de/philosophie.html (abgerufen am 25.09.2008).

IV Das Herz eines Boxers – Das Stück

1 Deutscher Jugendtheaterpreis 1998 – Begründung der Jury

Mit dem **Deutschen Jugendtheaterpreis 1998** wird das Stück „Das Herz eines Boxers" von Lutz Hübner ausgezeichnet.

Lutz Hübner hat ein sympathisches, warmherziges Kammerspiel über das Leben-Lernen und Leben-nicht-Verlernen geschrieben.
5 Dabei ist ihm eine Komödie gelungen, in der Ideale unspektakulär vertreten werden.
In einem Altersheim treffen der ehemalige Boxchampion Leo und der Jugendliche Jojo aufeinander. Früher war der Alte stark, der Junge wird es durch die wachsende Freundschaft, der Alte lernt
10 dabei von der Schwäche des Jungen. Das Klischee von männlichem Heldentum wird gebrochen.
Der Autor erzählt in lebendigen Dialogen von der Lust der beiden Figuren, einander ohne karitatives Motiv bei der Verwirklichung ihrer Träume zu helfen. Er ermöglicht den Figuren ein wirkliches
15 Miteinander.

Frankfurt am Main, 28.06.1998.

2 Ein Interview mit Lutz Hübner

Henning Fangauf: Natürlich muss am Anfang die Frage nach Ihrem Anlass, das Stück zu schreiben, stehen. Sie waren damals, 1995/96, als Schauspieler und Regisseur engagiert und noch nicht ausschließlich als freiberuflicher Autor tätig. Entstand „Das Herz eines Boxers“ so nebenbei?

Lutz Hübner: Ich habe zu jener Zeit noch nicht gewusst, welche Richtung ich einschlagen soll. Ein Leben ausschließlich als Autor konnte ich mir nicht vorstellen, also habe ich zwischen Schauspiel, Regie und Schreiben gewechselt – das inspiriert sich gegenseitig.

Henning Fangauf: Ich denke, Sie haben sich für Ihre Vorbereitungen zahlreiche Informationen einholen müssen. Wie sahen Ihre Recherchen, z. B. über die Welt des Boxens oder über straffällige Jugendliche aus?

Lutz Hübner: Die Idee, einen Boxer auf die Bühne zu stellen, ergab sich, weil ich gerade eine Boxerbiographie gelesen hatte. Ich habe nicht sehr viel Ahnung vom Boxsport, fand es aber als Gleichnis sehr passend: Wie geht man mit Sieg und Niederlage um? Wie stellt man sich dem Leben? Geklaute Mofas und die juristischen Folgen waren Erinnerungen an die Clique meiner Jugend. Der Rest, die Details, die man für ein Stück braucht, bekommt man durch Recherche, Gespräche mit Fachleuten, Lektüre, Interviews mit Jugendlichen etc. Man muss sehr viel Material sammeln, bevor man beginnen kann, ein Stück zu schreiben.

Henning Fangauf: … und welche Rolle hat das Grips-Theater, das das Stück am 19.10.1996 uraufführte, gespielt?

Lutz Hübner: Der Dramaturg des Grips-Theaters, Stefan Fischer-Fels, hat mir bei der Arbeit sehr geholfen, indem er Kontakte knüpfte, bei der Materialsuche half und immer wieder konstruktive Fragen zum Stoff stellte.

Henning Fangauf: Sprechen wir über den Aufbau, die Dramaturgie des Stückes. Das Stück ist in sieben Szenen unterteilt, die jeweils an einem nächsten Tag spielen. Man könnte sagen, die Bekanntschaft der beiden vollzieht sich innerhalb einer Woche und vollendet sich auch, man kann aber auch sagen, der Boxkampf ging über sieben Runden.

Lutz Hübner: Genau, die Idee war, dass die Geschichte abläuft wie ein Boxkampf, in jeder Szene führt einer der beiden, aber unmerklich entwickelt sich aus dem Kampf gegeneinander ein gemeinsamer Kampf, um die eigenen Ziele zu erreichen.

Henning Fangauf: ... und wie sieht es mit der Sprache der Figuren aus? Sie sind ja bekannt für Ihre pointierte Schreibweise, die den Ton der Jugendsprache sehr gut trifft. Hören Sie genau hin, wie Jugendliche sprechen, und schreiben das dann ab?

Lutz Hübner: Man kann Sprache für die Bühne nicht ‚fotographieren', es ist immer eine Kunstsprache. Grundlage ist die Alltagssprache und dafür muss man genau zuhören, muss Ausdrücke und Phrasen sammeln, die später in die Bühnensprache einfließen. Der Sound ist wichtig, es ist eher eine musikalische Herangehensweise, dann verdichtet man die Sprache und versucht, den Dialogrhythmus zu finden. Ziel ist immer, dass es später leicht und selbstverständlich klingt.

Henning Fangauf: Wollen Sie etwas zum Inhalt sagen? Wenn wir der „Boxkampf-Dramaturgie" folgen, müsste man fragen, wer am Ende gewonnen hat?

Lutz Hübner: Das Ende des Stücks ist eigentlich eine Utopie, beide haben gewonnen. Wenn man bei der Boxmetapher bleibt, könnte man sagen, dass sie gemeinsam gegen die Hindernisse kämpfen, die ihrer Vorstellung von Glück entgegenstehen. Beim Tennis würde man sagen, sie haben das Doppel gewonnen.

Henning Fangauf: Wie sieht es mit der Gattungsbezeichnung des Stückes aus? In der Fassung für die Uraufführung hieß es „Drama von Lutz Hübner", später bezeichneten Sie es als „Jugendstück". Wie entstehen diese Kategorisierungen?

Lutz Hübner: Als das Wort ‚Drama' das erste Mal in einem Programmheft auftauchte, war ich etwas irritiert, dann merkte ich, dass ich das selbst gedankenlos aufs Deckblatt geschrieben hatte. ‚Jugendstück' trifft es natürlich besser, auch wenn das Stück immer wieder auch im Abendspielplan, also für Erwachsene, angesetzt wird. Inzwischen nenne ich meine Stücke ‚Schauspiele', da kann man eigentlich nichts falsch machen. 5

Henning Fangauf: Das Stück wird ja gerne auch im Zusammenhang mit dem gesellschaftlich immer wieder geforderten „Dialog zwischen den Generationen" genannt. Dieses Thema scheint Sie ja zu interessieren, denke ich z. B. an das Stück „Für alle das Beste", das Sie 2006 zusammen mit Ihrer Frau Sarah 10 Nemitz geschrieben haben, und das auch den Generationskonflikt beschreibt. Was ist Ihr persönliches, aber auch dramaturgisches Interesse an dieser Problematik?

Lutz Hübner: Generationskonflikt ist ein etwas unscharfes Wort, welches eine Auseinandersetzung beschreibt, die Teil fast jeder 15 sozialen Interaktion ist. Ich kann heute schon ein Vermittlungsproblem mit Leuten haben, die nur zehn Jahre jünger sind als ich und andere Maßstäbe haben. Unsere Weltsicht ist immer von unseren biographischen Erfahrungen geprägt, deshalb ist fast jeder soziale Konflikt auch immer ein Generationskonflikt. 20 Man ist ja, Gott sei Dank, nicht immer in einer Horde Gleichaltriger unterwegs, also ist man ständig mit dem Generationskonflikt konfrontiert, deshalb kommt daher auch das Material der Stücke.

Henning Fangauf: Das Stück ist vor 13 Jahren entstanden und 25 hat bis heute nichts von seiner thematischen Aktualität verloren. Das ist ohne Zweifel eine große Qualität. Sehen Sie das auch so oder würden Sie sich eine „Auffrischung" des Stückes wünschen?

Lutz Hübner: Das passiert meistens automatisch in den Insze- 30 nierungen. Die biographischen Eckdaten Leos, die das Stück anführt, würden inzwischen nur noch auf einen Hundertjährigen passen, das wird dann in der Probenarbeit angepasst und das ist auch richtig so. Ein Theaterstück muss es aushalten, in der Arbeit verändert und angepasst zu werden. Wichtig ist nur, 35 dass der Grundkonflikt noch nachvollziehbar und relevant ist. Wenn das nicht mehr der Fall ist, sollte man ein Stück nicht mehr spielen.

Henning Fangauf: Können Sie uns Ihre eigenen Erlebnisse anlässlich der vielen Inszenierungen des Stückes, die Sie besucht haben, schildern. Können Sie den am häufigsten verwendeten Inszenierungsstil beschreiben?

Lutz Hübner: Die Inszenierung ist immer so gut wie die beiden Darsteller, es ist ein reines Schauspielerstück. Große Konzepte muss eine Regie da nicht entwickeln, was es braucht, ist eine gute Schauspielerführung und ein einfaches, aber praktikables Bühnenbild. Also die Andeutung eines Zimmers, Fenster, Tür, ein Bett, Kartons, Waschbecken. Alles andere erspielen die Schauspieler. Oft spielen der dienstälteste Spieler des Ensembles und der Schauspielanfänger das Stück und da entwickelt sich meist eine Freundschaft, die der des Stückes ähnelt. Daraus kommt die Energie der Inszenierung.

Henning Fangauf: ... und können Sie auch von sehr abweichenden Inszenierungen berichten? Wir haben z. B. Fotos von einer Inszenierung, die das Stück in einen Boxring verlagert hat, hier abgedruckt.

Lutz Hübner: Auch das ist möglich, wichtig ist nur die Grundbehauptung, dass es ein Ort ist, der das Gefühl von Leos Eingeschlossensein vermittelt, und das kann auch ein Boxring sein.

Henning Fangauf: Ich hätte noch zwei allgemeine Fragen: was meinen Sie, sind die besonderen Qualitäten, die ein Theaterautor, ein Dramatiker benötigt?

Lutz Hübner: Spaß an der Beobachtung. Spaß an der Sprache. Spaß am Geschichtenerzählen. Gesunde Menschenliebe. Gesunde Bosheit. Gute Nerven für den Premierenstress. Verrisse in der Presse aushalten können. [...]

3 Spielübungen

Eigentlich ist ein Theaterstück, ein Drama, ja dazu bestimmt, auf der Bühne eines Theaters aufgeführt zu werden. Aber wenn man den Text vorher liest, dann macht der Theaterbesuch noch viel mehr Spaß, da man genau beobachten kann, was die Regie und die Schauspieler aus der Geschichte gemacht haben.
Auch in der Schule, im Deutschunterricht muss man den Dramentext nicht nur lesen und dann interpretieren, sondern man kann auch im Klassenzimmer einzelne Szenen spielerisch improvisieren.
Hier einige Vorschläge:

Szene 1
Am Anfang des Stückes beginnt Jojo seinen Arbeitsdienst, während Leo apathisch und stumm vor sich hin starrt. Welche Art der Begegnung findet zwischen den beiden statt? Was passiert, wenn die eine Person sich verschließt und den Dialog verweigert. Probieren Sie das aus.

Szene 2
Jojo ist verliebt, weiß aber nicht, wie er das dem Mädchen zeigen soll. Leo schlägt ihm vor, täglich eine Rose vor die Haustür zu legen. Was würden Sie vorschlagen und wie können Sie das spielerisch zeigen?

Szene 3
Jojo entdeckt, dass Leo ein berühmter Boxer war. Er ist erstaunt. Wie spielt man Erstaunen und Bewunderung?

Szene 4
Jojo hat die Sachen von Leo verkauft und sich als geschickter Händler erwiesen. Spielen Sie – jeweils zu zweit – die Situation Jojo und Käufer nach. Mit welchen Tricks kann man den Preis hochtreiben oder drücken?

Szene 5
Boximprovisation. In Zeitlupe trägt ein Paar eine Schlägerei aus. Wer gerade einen Schlag ausführt, tippt dabei den anderen nur mit einem Finger am getroffenen Körperteil an. An der Schulter beginnen. Die/der Getroffene absorbiert den „Schlag“ mit Körper, Mimik und Gestik: Beide spielen die Schlägerei vollkommen ausladend.

Szene 6
Nach seinem gescheiterten Fluchtversuch sitzt Leo apathisch in seinem Sessel. Jojo will ihn wieder auf die Beine bringen. Wie würden Sie das darstellen?

Szene 7
Leos Flucht aus dem Altersheim hat geklappt. Jojo bangt mit Leo und freut sich dann übermäßig. Wie drückt er diese beiden Gefühle aus?

Nach jeder gespielten Szene sollten die Schülerinnen und Schüler beschreiben, was sie gesehen haben. Besonders ist auf die Körpersprache zu achten und zu beschreiben, wie diese Gefühle ausdrückt.

Henning Fangauf

V Das Herz eines Boxers – Die Aufführungen

Axel Prahl als Jojo. Inszenierung am Grips-Theater, Berlin 1996.

1 Ruhmreich im Ring, mutig im Alter

Grips-Theater: Regisseur Lutz Hübner beeindruckt mit der Uraufführung „Das Herz eines Boxers"

Von Lorenz Tomerius

Natürlich ist „Das Herz eines Boxers" nicht so knallhart wie seine stählerne Linke oder sein rechter Haken. Dahinter verbirgt sich ein weicher Kern, ein fairer Sportler. Nur sieht man das alles einem Mann im Altersheim, der sich selbst in eine innere Isolierung zurückgezogen hat, nicht an. Das geht auch Jojo so, dem jungen Mann ohne Lehrstelle, ohne Freundin, ohne Perspektive, also mit entsprechend aggressiv frecher Schnauze. Für ihn ist Leo (Christian Veit) nur ein sturer alter Sack. 5
Was da an ruhmreicher Vergangenheit im Ring, an bitterer Lebenserfahrung im Krieg, aber auch an Lebensklugheit, Fair- 10

ness, ja gar an Lebenswillen und Mut im Alter reich vorhanden ist, entdeckt Jojo (Axel Prahl) erst nach und nach, als Jung und Alt einander näherkommen, sich öffnen, einander helfen. Bis zur Fluchthilfe aus dem Heimzimmer, das Jojo auf richterliche Anordnung streichen muss, nachdem er den Mofa-Diebstahl seines Cliquenchefs auf sich genommen hat, weil der wegen zahlreicher Vorstrafen zum Langzeit-Knacki würde. Lutz Hübner ist mit dem im Grips-Theater unter johlendem Jubel und begeistertem Getrampel uraufgeführten Stück „für Menschen ab 13" ein kleiner, großer Wurf gelungen. Es hat so viel heiteren Ernst wie pfiffige Frechheit. Der junge Schauspieler und Regisseur, der sich in Berlins Mitte niedergelassen hat, beobachtet wach und lebensnah, schildert klischeefrei, schreibt eine konzentriert knappe Dialogsprache voller Witz und Einfallsreichtum. Er ist eine Entdeckung, die es zu pflegen gilt.

Thomas Ahrens setzt den Text pointenscharf in zügigem Tempo um, das Helmut und Michael Brandt mit Saxophon und Gitarre im Zusammenspiel von Vater und Sohn frisch vorantreiben. Mathias Fischer-Dieskau hat dafür den einfachen, uniformen Raum von Heim-Lieblosigkeit kühn nach hinten gekippt. Die Schräglage der Situation des alten Boxers, der sich aus seiner Zurückgezogenheit hochrappelt und zum alten Ring-Gegner und Freund nach Südfrankreich flüchtet, ist klar. Leos Vergangenheitsschätze werden von Christian Veit in diskreter Unauffälligkeit ausgebreitet und beflügeln den füllig pfiffigen Jojo, auch sein Leben mutiger in die Hand zu nehmen und Leo zum Neuanfang zu verhelfen. Wie Jojo das alles erfindungsreich listig schafft, wird nicht verraten. Mit welcher launigen Frische er indes den Jugendjargon in all seinem genauen einfallsreichen Witz serviert, mit welcher frechen Chuzpe er Hübners Text zu amüsanter Lebensnähe und Überzeugungskraft verhilft, das ist für einen noch jungen Schauspieler wahrlich eine Meisterleistung. [...]

Die Welt, 27.10.1996.

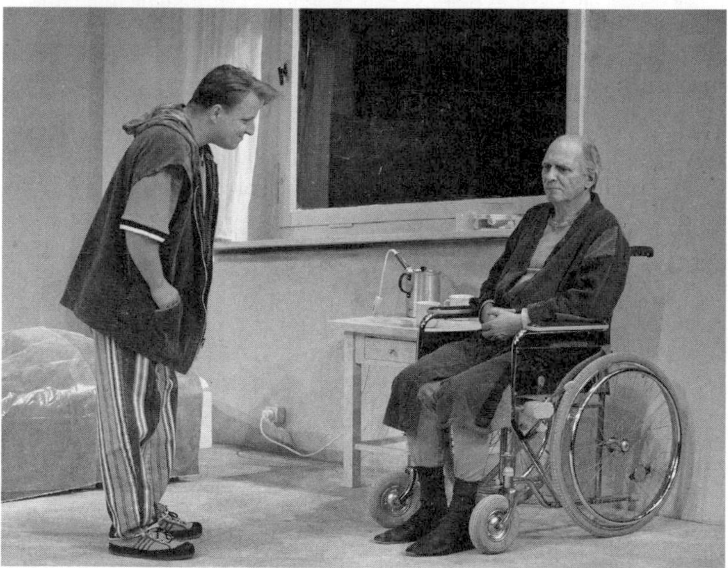

Christian Veit als Leo und Axel Prahl als Jojo. Inszenierung am Grips-Theater, Berlin 1996.

2 Realität, menschlich geschminkt

Oliver Jaksch als Jojo und Heinz W. Krückeberg als Leo. Inszenierung im Theaterspielplatz, Braunschweig 1999.

Krieg und Frieden zwischen Jung und Alt: „Herz eines Boxers" im Theaterspielplatz

VON FLORIAN ARNOLD

Zwei Gesellschaftsgruppen ohne Perspektive. Abgearbeitete, abgeschobene Alte, die in Heimen den Lebensabend verdämmern. Und arbeitslose Jugendliche, die ihr Leben in Fußgängerzonen oder Bushaltestellen vergammeln. Mit beiden Gruppen kann keiner so recht was anfangen. Und die miteinander erst recht nicht, wenn sie sich denn mal auseinandersetzen müssen.

In diese missliche Lage bringt Lutz Hübner in seinem Stück „Das Herz eines Boxers" den alten Leo (Heinz W. Krückeberg) und das vorlaute Milchgesicht Jojo (Oliver Jaksch). Der moppelige Halbharte ist beim Mofaklau erwischt worden und muss seine Strafe jetzt mit der Renovierung von Leos wohl letzten vier Wänden abarbeiten.

Bissiger Underdog

Immerhin ist Jojo von zwei Underdogs derjenige, der noch beißen kann. Und das lässt er den Alten spüren. Denn wenn es ihm sonst auch an allem mangelt – Lehrstelle, Schneid, Freundin, Anerkennung in der Clique –, auf die Klappe gefallen ist er nicht. Und so entsorgt er seinen Frust in Seitenhieben auf den scheinbar stummen Dino. „Glückwunsch, dass gerade dein Zimmer von der Knackibrigade Schöner Wohnen renoviert wird. Kommt ja nicht oft vor, dass hier einer arbeitet. Nichts gegen die Strohsterne, die machen sicher auch Mühe, wenn die Finger nicht mehr so richtig wollen."

In der real existierenden Realität hätte der Jungfrustrierte den Altersmüden wohl bis zum Ende des Arbeitseinsatzes schikaniert. Aber Jojo und Leo treffen sich nicht im Grauen des Alltags, sondern auf der Bühne. Und da ist der Alte eben mehr als ein seniles Relikt aus Adolfs- und Wirtschaftswunderzeiten. Er entpuppt sich vielmehr als eine frühere Boxlegende und ist unter den Alten immer noch ein richtig tougher Kerl. Und Jojo ist eine Bomberjacke mit gutem Kern, um den sich nur mal einer kümmern muss. 5

Die Freiheit, die Realität ein bisschen bühnenreif zurechtgeschminkt, ist das Heitere an der Kunst. Die Frage ist, ob 10 die Schauspieler es schaffen, ihre Rollen so natürlich zu interpretieren, dass der kleine Schwindel dem (jugendlichen) Zuschauer neuen Mut macht, 15 das echte Leben zu bestehen.

Griff in die Mythentüte

Und Heinz W. Krückeberg und Oliver Jaksch bekommen das gut hin. Sie spielen sich so 20 flott, locker und wandlungsfähig durch Stimmungshochs und -tiefs ihrer Figuren, dass der Zuschauer manche Ungereimtheit des Stückes fröhlich 25 frisst. Dass die alte Boxlegende, kaum enttarnt, den jungen Looser zum Champ von morgen zu stählen beginnt, ist ein Griff in die Mythentüte ame- 30 rikanischer C-Movies. Wenig glaubhaft auch, dass es dem dicklichbleichen Jojo gelingen soll, seine Angebetete ausge-

rechnet mit Leos uralten Kavaliertricks rumzukriegen.
In Ordnung ist hingegen, dass Regisseurin Luana Ihlenfeld darauf verzichtet, der realistischen Wirkung mit einem staubigen Altenheim-Bühnenbild hinterherzuhecheln, und die Begegnung der beiden stattdessen in einen Boxring verlegt. Die Szenen werden von einem Ringrichter eingeläutet und die beiden Figuren von halbseidenen Handtuchwedlern für ihre Auftritte fit gemacht. So kann Jojo dem Alten am Ende wieder auf die Beine helfen, als ihn der Ringrichter bereits ausgezählt hat. Menschliche Geste, netter Regieeinfall, herzensguter Theaterabend. Kräftiger Beifall für die Boxer.

Braunschweiger Zeitung, 20.04.1999.

Oliver Jaksch als Jojo und Heinz W. Krückeberg als Leo. Inszenierung im Theaterspielplatz, Braunschweig 1999.

3 Nur Mut

Matthias Hermann als Jojo. Inszenierung am Jungen Ensemble Stuttgart, 2007.

Brigitte Dethier inszeniert Lutz Hübners „Das Herz eines Boxers“ am Stuttgarter JES

Von Petra Bail

Stuttgart – Eigentlich wären sich die beiden nie begegnet. Jojo, der jugendliche Krawallmacher ohne große Perspektive, und Leo, der im Altersheim dahinvegetiert. Ein dummer Zufall führt sie zusammen. Jojo muss als Bewährungsstrafe für einen Diebstahl, den er nicht begangen hat, Malerarbeiten im Seniorenheim verrichten. Die Wahl fällt auf Leos Zimmer. Frech und unverschämt labert er den Alten zu, in der Annahme, dass dieser nach einem Schlaganfall ohnehin kein Wort mitkriegt. Tatsächlich ist natürlich alles anders, sonst hätte der Dramatiker Lutz Hübner kein Theaterstück daraus machen können, das 1998 mit dem Deutschen Jugendtheaterpreis ausgezeichnet worden ist. Die spritzige Komödie „Das Herz eines Boxers“ hatte jetzt unter begeistertem Beifall des Publikums am Jungen Ensemble Stuttgart (JES) Premiere.

Trübe Aussichten

Das Fenster in Leos Wohnzelle mit Fernheizung ist so hoch, dass man sich auf einen Stuhl stellen muss, um hinauszuschauen. Aber das lohnt sich sowieso nicht. Die Aussichten sind trübe – sowohl für Jojo (Matthias Hermann) als auch für Leo (Werner Koller). Der Halbstarke ist lang nicht so cool, wie er sich gibt. Er hat Charakter, das erkennt Leo schnell, der seinerseits lang nicht so vergreist ist, wie er seiner Umwelt vorspielt. Jojo leidet daran, von der Clique, für deren Chef er die „Strafarbeit" leistet, dafür ausgelacht zu werden. Er hätte gerne einen Job, eine Freundin. Und in Leo steckt noch so viel Energie, dass er alles daransetzt, nicht im Altersheim zu verblöden. Er plant die Flucht nach Südfrankreich.

Aus der Annäherung der beiden ist eine warmherzige Komödie entstanden, die JES-Chefin Brigitte Dethier, ganz auf die Ausstrahlung der beiden Schauspieler setzend, ohne Schnickschnack inszeniert hat. Die Botschaft für Menschen ab zwölf Jahren wird klar transportiert: Es ist eine Kunst, sich durchs Leben zu boxen, ohne dabei k.o. zu gehen. Wichtige Voraussetzungen sind Vertrauen, Freundschaft und Respekt. Dabei geht es nicht ganz ohne Klischees ab, und auch „Charleys Tante" lässt grüßen. Aber das ist alles so sympathisch-frisch, wortwitzig und visionär verpackt, dass man als Zuschauer einfach hingerissen ist von dem kessen Schwung, den das Zwei-Personen-Stück in der nüchternen Guckkastenbühne von Marion Hauer entfaltet. Zumal die beiden Figuren glänzend besetzt sind mit dem jungenhaft, charmanten Matthias Hermann und dem erfahren-knorrigen Werner Koller. [...]

Der ehemalige Box-Champion Leo weiß Rat in allen Lebenslagen: kaltes Fleisch hilft bei Veilchen und eine rote Rose bei der Eroberung der Herzdame. Im Gegenzug bietet ihm Jojo Hilfe bei der Flucht aus dem „Rentnerknast". Zuvor soll ihm der „Rote Leo" noch das Boxen beibringen. Er möchte ein Held sein, eine „richtig große Nummer" wie einst sein neuer, alter Freund. Doch in dem Stück wird das Männlichkeitsgehabe des jugendlichen Straßenritters nicht bedient. Leo wiegelt ab: „Das ist ein Beruf, wie jeder andere" – und zudem kein leichtes Leben, wenn man ein friedlicher Mensch ist. Er erklärt dem Jungen, was ein Boxer ist: ein Gentleman, ein Künstler.

Gelernte Lektion

Jojo lernt seine Lektion und beginnt, Verantwortung zu übernehmen, als der Alte nach einem misslungenen Fluchtversuch resigniert: „Man kann dich ja hier nicht vergammeln lassen." Er beschafft Frauenkleider, in denen Leo verschwinden soll. Dieser zaudert: „Und wenn sie mich erkennen?" Jojo sieht alles nicht mehr so eng und tröstet: „Dann kommst du halt auf die geschlossene Frauenstation." Das ist frech und verwegen und allemal einen Versuch wert. Wie Leo im Stück sagt: „Woher soll man wissen, ob es woanders nicht besser ist, wenn man es nicht versucht?" Nur Mut, lautet die Botschaft.

Esslinger Zeitung, 15.01.2007.

Matthias Hermann als Jojo und Werner Koller als Leo. Inszenierung am Jungen Ensemble Stuttgart, 2007.

VI Der Autor Lutz Hübner

1 Biographisches

Lutz Hübner ist ausgebildeter Schauspieler. Er wurde 1964 in Heilbronn geboren. Nach dem Abitur absolvierte er seinen Zivildienst in einem Altersheim in Münster. Die Erfahrungen, die er dabei machte, hatten großen Einfluss auf sein erstes, wirklich erfolgreiches Stück „Das Herz eines Boxers", welches in einem Altersheim spielt. In Saarbrücken studierte Hübner von 1986 bis 1989 Schauspiel und Regie und war bis 1996 u.a. am Landestheater Neuss und am Theater der Landeshauptstadt Magdeburg als Schauspieler und Regisseur engagiert.
In dieser Zeit hat er auch mit dem Schreiben von Theaterstücken begonnen. „Tränen der Heimat" hieß sein erstes Stück. Dieser Monolog für eine Schauspielerin wurde 1994 an einem kleinen Theater in Berlin uraufgeführt. So richtig bekannt wurde Lutz Hübner mit „Das Herz eines Boxers", das das Berliner Grips-Theater am 19. Oktober 1996 uraufführte. 1998 wurde dieses Stück mit dem Deutschen Jugendtheaterpreis ausgezeichnet.
Seitdem hat Lutz Hübner viele weitere Stücke geschrieben. Seine bekanntesten Werke sind neben „Das Herz eines Boxers" (1996), „Gretchen 89FF" (1997), „Alles Gute" (1998), „Creeps" (2000), „Winner & Loser" (2002), „Nellie Goodbye" (2003), „Die letzte Show" (2005), „Für alle das Beste" (2006), „Aussetzer" (2007).
Lutz Hübner ist ein Autor, der sowohl Stücke für Jugendliche als auch für Erwachsene, aber auch Opernlibretti und Filmdrehbücher schreibt. Fast alle seine Stücke sind an vielen Bühnen in Deutschland inszeniert worden.
In der Spielzeit 1999/2000 führte er die Bühnenstatistik als der meistgespielte Autor aller deutschen Theater an. Der Spiegel titelte damals: „Lutz schlägt Bert" (2001, Nr. 33, S. 161) und damit spielte das renommierte Wochenmagazin darauf an, dass die Stücke von Lutz Hübner mehr Aufführungen an den deutschen

Theatern hatten als die von Bertolt Brecht. Zahlreiche seiner Stücke wurden in andere Sprachen übersetzt und im Ausland gespielt. Lutz Hübner ist auch als Schreiblehrer, Jurymitglied und Referent (bspw. für das Goethe-Institut) eine gefragte Persönlichkeit, die auch immer wieder als Regisseur tätig ist. Als Autor arbeitet er zur Zeit vorwiegend für das Schauspiel Essen und das Staatstheater Hannover. Ab der Spielzeit 2009/2010 wird er für das Staatsschauspiel Dresden schreiben. Seine aktuelle Uraufführung „Geisterfahrer", ein Stück für Erwachsene (Mitarbeit Sarah Nemitz), hatte am 21. September 2008 in Hannover Premiere.

Insbesondere Hübners Stücke „Das Herz eines Boxers", „Creeps", „Nellie Goodbye" und „Aussetzer" werden auch im Deutschunterricht gelesen und in der aktuellen Dramendidaktik diskutiert.

Das Theater der Stadt Hagen hat seine Studiobühne, auf der überwiegend Stücke für Jugendliche aufgeführt werden, „Lutz" genannt und erweist damit seine Referenz an den erfolgreichsten Dramatiker für junge Menschen in unserer Zeit. Lutz Hübner lebt mit seiner Frau und Tochter in Berlin, alles weitere kann man über seinen Verlag Hartmann & Stauffacher (www.hsverlag.com) in Köln erfahren.

Henning Fangauf

2 Jugend ohne Plot

Lutz Hübner ist der meistgespielte Autor der letzten Jahre – aber warum weiß das kaum jemand?

VON SIMONE KAEMPF

Man sollte es nicht mit Statistik versuchen. Dann wäre man nicht so verblüfft darüber, dass die Top Ten der am besten besuchten Theateraufführungen von vier Kinderstücken angeführt werden. So war es in der Spielzeit 2001/2002, und ein Blick in die Spielpläne des vergangenen Jahres bestätigt, dass „Die Schneekönigin", „Kalif Storch" und „Dornröschen" auch in dieser Vorweihnachtszeit wieder hoch im Kurs standen. Schiebt man die Ehrbarkeit im Bemühen um das junge Publikum einmal beiseite, offenbart sich, dass es in diesem Genre um zeitgenössische Dramatik und innovative Bearbeitungen nicht zum Besten steht.

An diesem Kriterium gemessen, hinkt das Kindertheater längst dem Jugendtheater hinterher. Der Bindestrich, der das Kinder- und Jugendtheater als gemeinsame Sparte zusammenhält, ist nur eine bürokratische Reminiszenz. Im schnellen Reagieren auf gesellschaftliche Phänomene ist das Jugendtheater mittlerweile erprobt. Neue Autoren sind aufgetaucht, deren Texte jenseits ihres pädagogischen Auftrags schöne Früchte tragen. Gleichzeitig hat sich an den großen Schauspielbühnen längst ein junges Theater etabliert und bildet einen Quell der Erneuerung. Die Grenzen zum Schauspiel für Erwachsene sind durchlässig geworden, und wenn man davon spricht, kommt man um den Namen Lutz Hübner nicht herum, der diese Überschreitung auf besondere Weise repräsentiert und dabei wiederum als Rekordhalter in der Statistik steht.

Der 39-Jährige ist mit 751 Aufführungen gleich hinter Yasmina Reza der meistgespielte zeitgenössische Dramatiker der Republik. Wer hätte das gedacht, ausgerechnet ein jüngerer Jugendtheaterautor. Zwei Dutzend seiner Stücke wurden in den vergangenen Jahren uraufgeführt, und im schnellen Rhythmus werden es mehr. Allein drei Uraufführungen in dieser Spielzeit. Man kommt kaum hinterher. Dennoch muss Hübner mit dem Ruf leben, der bekannteste unbekannte Gegenwartsdramatiker zu sein.

Der entdeckungswütige Theaterbetrieb übt sich gerne darin, Autoren hochzujubeln. Warum eigentlich nicht Lutz Hübner? Einerseits empfand man seine Arbeit dafür als zu konventionell, andererseits ist es so gut wie unmöglich, über Jugendtheaterstücke zum Dramatiker-Darling aufzusteigen. Hartnäckig hängt dem Bereich der Ruch an, kein richtiges Theater zu sein. Andere stiegen hoch und verglühten, während er sich beim Schreiben fast trotzig viele Freiheiten nimmt: ein Stück für Jugendliche, dann wieder eines für Erwachsene, zur Zeit sitzt er an einem Stück über den Berliner Bankenskandal. Solche Haken zu schlagen, schütze ihn vor Routine, sagt Hübner.

Er passt in vielerlei Hinsicht in keine Schublade. Historische Stoffe, wie die Entdeckung der Nordwestpassage in „Die Franklin-Expedition“ oder die satirische Theaterselbstbeschau „Dramoletti“, vor kurzem am Stuttgarter Theater Rampe herausgebracht, kontrastieren mit der Beobachtung zeitgemäßer Phänomene, zum Beispiel in „Creeps“, worin drei Mädchen um eine TV-Moderatorenstelle konkurrieren.

Die Themen werden auf Fußlinie von der Straße gesammelt und von Hübner in Bauchhöhe gehievt. „Es ist wichtig, die Zuschauer emotionale Wechselbäder durchlaufen zu lassen, ohne ihnen eine Botschaft aufzuzwingen“, beschreibt Hübner sein Prinzip des Schreibens. Klingt überraschend einfach und nicht mehr ganz neu, ist aber verdammt schwierig umzusetzen. Seit Ende der sechziger Jahre begonnen wurde, die so genannte Lebenswirklichkeit von Kindern und Jugendlichen in Stücken zu behandeln, bleibt es ein vielfach diskutierter Widerspruch, dass

dieses Theater von Erwachsenen gemacht wird. Aus deren überhöhter Position wächst die Gefahr, das Publikum in der Tonlage zu ernst oder zu wenig ernst zu nehmen.
Hübner hat sich angewöhnt, während einer ausgiebigen Recherche ganz in die Welt seiner Stücke einzutauchen: drei Monate lang Beschäftigung mit MTV, Modeschauen, Mädchenzeitschriften etwa für „Creeps", dann alles wieder abschütteln und das Stück in einem Guss schreiben. Die Schreibgeschwindigkeit provoziert das Tempo der Dialoge, die Sprache bewegt sich passgenau in der dramatischen Situation – präzise, schnell, theatertauglich. Hübner, der selbst sechs Jahre Schauspieler war, macht es den Darstellern einfach. Wer das als gut rutschende Well-made-plays abtut, übersieht die dialektische Aufbereitung, mit der ausgehend von sehr lebensnahen Problemstellungen aus der Welt der Jugendlichen auch tiefergehende Fragestellungen behandelt werden.
In „Nellie Goodbye", im November uraufgeführt am Theater Hagen und noch im selben Monat am Staatstheater Hannover nachgespielt, ist dieses besondere Qualitätsmerkmal mustergültig erkennbar: Die ehrgeizigen Pläne der jugendlichen Mitglieder einer Rockband, die angesichts des nahenden Nachwuchswettbewerbs vom großen Durchbruch träumen, kreuzen sich mit der plötzlichen Krebserkrankung ihrer Sängerin. Die unterschiedlichen Konflikte im Umgang mit dem Tod blitzen auf, manchmal sind sie banal, aber sich darüber lustig zu machen, ist für ein Temperament wie Hübner ebenso unangemessen, wie sie zu verklären.
Dass hier viel Spielraum für die Regie bleibt, schätzen die Theater durch die Reihen. Hübners zweites Stück aus dem Jahr 1996 war bereits ein Auftrag, den er vom Grips-Theater erhalten hatte, und dass seine nächste Arbeit an der Baracke des Deutschen Theaters in Berlin gezeigt wurde, macht die besondere Theatertauglichkeit deutlich. Vor kurzem ist in Hagen die neue Jugendbühne nach ihm benannt worden: Lutz-Theater. Vielleicht geht das mal so leicht wie Schiller-

Theater über die Lippen und findet Nachahmer, die signalisieren, hier darf das Theater eine emotionale Anstalt sein. Vielleicht gibt es bis dahin auch im Kindertheater wieder mehr Diskussionsstoff. „Aber das ist ein Bereich“, sagt Hübner, „an den ich mich nicht rantraue.“

Süddeutsche Zeitung, 10.01.2004.

Bildquellenverzeichnis

Umschlag/S. 1: Matthias Hermann als Jojo und Werner Koller als Leo in einer Inszenierung des Stückes „Das Herz eines Boxers" am Jungen Ensemble Stuttgart, 2007. Foto: Tom Pingel, Stuttgart.

S. 35: creativ collection Verlag GmbH, Freiburg.

S. 65: www.drama-berlin.de, Berlin.

S. 67 oben: www.drama-berlin.de, Berlin.

S. 67 unten: www.drama-berlin.de, Berlin.

S. 68: Staatstheater Braunschweig, (Foto: © Thomas Ammerpohl, Braunschweig).

S. 70: Staatstheater Braunschweig, (Foto: © Thomas Ammerpohl, Braunschweig).

S. 71: Tom Pingel, Stuttgart.

S. 73: Tom Pingel, Stuttgart.

Nicht in allen Fällen war es uns möglich, den Rechteinhaber der Abbildungen ausfindig zu machen. Berechtigte Ansprüche werden selbstverständlich im Rahmen der üblichen Vereinbarungen abgegolten.